9789953101064

مُعجَم
مُصْطلَحات الإدَارة

MANAGEMENT GLOSSARY

Compiled by
H. JOHANNSEN
Management Information Department, British Institute of Management
and
ANDREW ROBERTSON
National Institute of Economic and Social Research, formerly Editor, 'The Manager'

Edited by
E. F. L. BRECH
Fellow, International Academy of management

MANAGEMENT GLOSSARY

English – Arabic
With Arabic Index

معجم
مُصطلَحَات الإدارة

إنكليزي ـ عَرَبي
مَع مَسْرَد بالألفَاظِ العَرَبيّة

نَقَلَهُ عَن الإنكليزيّة
نَبيه غَطّاس

مَكتَبَة لبنَان
بيروت

LIBRAIRIE DU LIBAN
Riad Solh Square, Beirut

*Associated companies, branches and representatives
throughout the world*

© Librairie du Liban, 1974

جَمِيعَ الحُقوق مَحفوظَة لمكتَبَة لبنَان ١٩٧٢

printed by typopress

Preface

Words have long been quoted as wise men's counters, but experience of life has proven them equally to be blocks in the pathways of communication. In no field of human endeavour has this been more truly revealed than in the annals of management evolution. Discussion in plenty has accompanied the evolution, but its progress has been often hampered and sometimes halted by unrecognised barriers to mutual understanding. The blockage has never been due to any lack of words—on the contrary, words old and new have been in surfeit. The barrier has fallen quietly from frequently unrecognised differences of usage: the word or label to one man meant this, to another that, and both could go blithely on their way unheeding of the fundamental failure of understanding that their superficial seeming cooperative agreement masked. Thereby useful progress was stultified.

To arrive at a commonly accepted language in any field of activity is no mean task, but achievement will never be accomplished if the effort is not started. It is in this sense that the present offering is made in the field of management practice, and the compilers are to be congratulated on their courage in initative. No more is claimed for this collation than that it is a start—save that it constitutes also an invitation to contributions for advancement. There will be many users or readers of this glossary ready to voice criticism and disagreement: fine, if this prompts them to send forward their constructive alternative for inclusion in a revised edition. By this means the acceptable glossary *will* one day be achieved.

E.F.L.Brech
Editor

Foreword

'One of the roots of our lack of organisation of management knowledge is the absence of any standardised and agreed terminology. It is of the essence of any organised body of knowledge that it should be communicable. We have to use words if we are to communicate with each other. But the words which we use in discussing management, the very word management itself, have and has no semantic content. They convey totally different meanings to almost everyone who uses them. There is no adequate or exact communication, and no possibility of it, till this situation is corrected.'

Every field of human activity inevitably develops its own terms and jargon, and the management field is no exception. Until about 1950 much thought and effort was devoted to refining the terms portraying the fundamental concepts of the management process arising out of the original analysis suggested by such pioneers of 'scientific management' as Barnard, Elbourne, Fayol, Follett, Gilbreth, Mooney and Reilley, Taylor and others. Much of the early management literature attempted to define the broader words —management, organisation, administration, authority, control, responsibility, planning; but it soon became clear that little agreement could be found among the various terminological divergences because of differences of underlying concept. For example, in 1930 one authority held that 'Administration makes policy and management carries it out'; whilst seventeen years later another said 'Management makes policy and administration carries it out'. It is not, therefore, surprising to find that by the late 1940s there were numerous papers and much discussion on the need to sort out the terminology jungle and to make efforts towards standardising terms.

The management thinkers of the early postwar period were hardly more successful in achieving this objective, despite the greater concern at a time when management subjects were beginning to be taught on a large scale. How were students and lecturers to find their way through the maze of ambiguities and contradictions in management thought, made the more complex by the terminology tangles?

Basic management concepts are still in an evolutionary stage of development, and much remains to be explored and analysed. The management setting is dynamic, not static. Can terms ever be as precise and universal as they are in the natural sciences? Whatever the arguments for and against standardisation, it is clearly difficult to achieve in practice. In any case, it is probably unrealistic to suggest that the publication of a common glossary would have more than a marginal effect on *actual* usage until some decades had passed and new generations of managers emerged.

To add to the difficulties of communication the management scene has undergone significant changes during the last two decades, chief among these being the emergence of new complex techniques and the growing trend towards specialisation in management—there are very few 'general managers' left these days. The specialist manager concerned with one particular area probably knows his own jargon well enough, but when his work brings him into close contact with another management area outside his own experience, his ability both to understand and to communicate is likely to be limited. This glossary is intended to be a useful reference guide in such circumstances.

The problems of compiling the glossary have been formidable. First, how far should the net be cast—where does management begin and end? To interpret management too literally would create too wide a canvas. In the context of a literature embracing management for hairdressers, the management of coarse fishing waters, sewage plant management, restaurant management, it seems evident that a wide interpretation would imply management terminology having no boundaries. A more restrictive view has therefore been taken and the glossary attempts to include:

(*a*) Fundamental management terms, normally associated with management principles and theory.
(*b*) The more significant and commonly used terms from each of the specialist areas, such as marketing, finance, production, personnel.
(*c*) Terms describing management techniques, though with no attempt to cater for the specialist.
(*d*) Terms from such allied subjects as economics, law, statistics and sociology, in as far as they are closely associated with management.

This brief description of the framework of the glossary may help to explain why some words have been included and others omitted. The object has

Foreword

not been to collect and define as many terms as possible: terms which can be found in standard or commercial dictionaries have in the main been discarded since there is no point in unnecessary duplication. In some instances, alternative definitions are given so that the user can select the interpretation fitting most closely to his needs. To be of some practical value to managers and students of management is the only objective of this glossary, and it is not without significance to this purpose to recall that the project had its birth within the setting of an informal study group under the auspices of the British Institute of Management. The Institutional support did not persist, but the personal effort went on to this date when a day of birth can be celebrated. It would also not be inappropriate to record a word of thanks and appreciation to several people who made contributions to the gestation in the very early stages.

Hano Johannsen
Andrew Robertson

---

[1] *British Management Review*, vii. 3, 1948, p. 21.
[2] O. Sheldon, *Philosophy of Management*, Pitman, 1930.
[3] M. A. Cameron, *Principles of Management*, Harrap, 1947
[4] See for example, *Standard Terminology*, British Institute of Management, July 1949 and *British Management Review*, vii. 3, 1948 (papers by L. Urwick, T. G. Rose, E. F. L. Brech).

توطئة

« ان من الاسباب الرئيسية التي ادت الى فقدان التنسيق العامي في حقل المعرفة المتعلقة بشؤون الادارة عدم وجود مفردات وتعابير ادارية موحدة ومتفق عليها . فمن الواضح انه في كل حقل من حقول المعرفة المنظمة ، لا بد للافكار والمفاهيم الخاصة بذلك الحقل ان تكون قابلة للانتشار يسهل شرحها وسريانها والتفاهم عليها بين الناس . ولما كانت الكلمات والمصطلحات والالفاظ هي وسيلة التفاهم بين الناس اذا ما ارادوا ان يتبادلوا الاراء والمعارف ويتعاونوا فيما بينهم كان لزاما عليهم ان يستعينوا بالفاظ محددة المعنى ومصطلحات واضحة المدلول ، وهذا بكل اسف لا ينطبق على مصطلحاتنا في حقول الادارة والكلمات والالفاظ التي نستعملها عند بحث موضوع الادارة – حتى ان كلمة الادارة نفسها ليس لها اي مدلول محدد خاص بها ، فهي تعني للواحد منا مفاهيم تختلف تماما عن المفاهيم التي تعنيها للآخر . وليس هناك الان ، ولن يكون في المستقبل ، اي تفاهم واف ودقيق بين الناس حول هذا الموضوع حتى يتم تصحيح هذا الوضع بايجاد الحلول المناسبة له » .

ان كل مجال من مجالات النشاط الانساني له الفاظه وتعابيره ومصطلحاته الخاصة بل ورطانته احيانا وهذه كلها يبتكرها ويطورها المشتغلون في ذلك الحقل والمهتمون به . وحقل الادارة ليسَ شاذا في هذا المضمار. لقد بُذ لت في النصف الاول من هذا القرن جهودٌ كبيرة لتنقيح مصطلحات مفاهيم الادارة ومبادئها الاساسية – خاصة تلك الجهود التي تلت الدراسات والابحاث والتحليلات الكثيرة التي قام بها اشخاص رائدون في مجال « الادارة العلمية » كبرنارد Barnard والبورن Elbourne وفايول Fayol وفوليت Follet وجلبرت Gilberth وموني Mooney وريلي Reilley وتايلر Taylor وغيرهم . لقد حاول الكتاب الاول في ما صنفوه ودونوه من مؤلفات في حقول الادارة ان يحددوا مفهوم المصطلحات والالفاظ العريضة المجال كالادارة والتنظيم والادارة التنفيذية والسلطة والمراقبة والمسؤولية والتخطيط ، ولكن سرعان ما ظهر التباين فيما بينهم على تحديد المفهوم الموحد لمعظم هذه الكلمات ولغيرها ، نظرا لاختلافهم على الفكرة الاساسية لمفهوم المصطلح المعين .

وعلى سبيل المثال نذكر قول أحد الثقات في الموضوع (O. Sheldon) في كتابه :
(PHILOSOPHY OF MANAGEMENT) PITMAN (1930)
ما نصه : "Administration makes policy and management carries it out".
بمعنى « ان الادارة العامة تضع الخطوط العريضة لسياسة الشركة والادارة التنفيذية هي التي تحققها » . بينما نجد ان كاتبا آخر من الثقات هو (M.A. Cameron) في كتابه :
(PRINCIPLES OF MANAGEMENT) HARRAP (1947)
يعيد المعنى نفسه بعد سبع عشرة سنة عاكسا المصطلحين فيقول :
"Management makes policy and administration carries it out"

لهذا لم يكن من العجيب ان تجري في اواخر الاربعينات دراسات وابحاث كثيرة عولج فيها موضوع الحاجة الماسة الى فرز المفردات والمصطلحات المستعملة في حقل الادارة وغربلتها وبذل مزيد من الجهود في سبيل توحيدها وتحديدها وتصنيفها .

ولم ينجح رجال الفكر الاداري في السنوات التي تلت الحرب العالمية الثانية في تحقيق هذا الهدف بالرغم من الجهود التي كانت تبذل في تلك الفترة في حقل تدريس المواضيع الادارية على نطاق واسع . وكان من الصعب جدا على الطلاب والاساتذة والمحاضرين ان يشقوا طريقا واضحا لهم في متاهات الغموض والمتناقضات التي كانت تكتنف الفكر الاداري حينئذ . اضف الى ذلك ان المصطلحات والتعابير نفسها التي كانت تستعمل آنئذ قد زادت الامر تعقيدا وغموضا .

ان المفاهيم الادارية الاساسية لا تزال في مرحلة التطور ولا تزال امامنا مجالات كثيرة يجب بحثها وتحليلها وادراكها . فالاوضاع الادارية ، كما نعلم ، ديناميكية في تكوينها ، متحركة ودائمة التطور بطبيعتها فهل يمكن للمصطلحات المستعملة في علم الادارة ان تكون دقيقة وشاملة كما هي حال المصطلحات المستعملة في العلوم الطبيعية ؟ انه مهما كانت الحجج التي يقدمها البعض ضد توحيد المصطلحات الادارية او تأييدا لها . فمن الواضح ان تحقيق توحيد من هذا النوع صعب من الناحية العملية . وعلى اية حال ، فقد نتجاوز الحقيقة والواقع اذ ندعي ان نشر معجم مشترك للمصطلحات الادارية قد يترك الآن اكثر من اثر محدود في مجالات الاستعمال الفعلي ، فتوحيد المصطلحات امر لن يتحقق بشكل علمي قبل مضي عشرات السنين اي حتى تنشأ اجيال جديدة من المديرين وارباب الاعمال ورجال الفكر الاداري .

وبالاضافة الى الصعوبات التي برزت في نواحي الاتصال والتفاهم وتبادل الافكار ، فقد طرأ على الادارة نفسها خلال العقدين الماضيين تغييرات هامة كان ابرزها نشوء عدد كبير

من الاساليب والطرق الجديدة المعقدة والاتجاه المتواصل نحو التخصص في الادارة ، بحيث لم يعد هناك اليوم سوى عدد قليل جدا من اولئك الافراد الذين يمكن تسميتهم « بالمديرين العامين » الذين يستطيعون القيام باعباء كل عمل وكل وظيفة ادارية . ان المدير المختص الذي يعنى بناحية معينة من العمل الاداري قد يكون ملما بجميع المصطلحات المتعلقة بمجال اختصاصه الماما جيدا ، ولكن عندما يضطر الى التعرف عن كثب بمجالات ادارية اخرى تقع خارج نطاق خبرته وعمله ، فستكون مقدرته على فهم الافكار الجديدة التي ينطوي عليها عمله الجديد ، للاتصال بالاخرين والتفاهم معهم مقدرة محدودة ولا شك . ان القصد من معجمنا هذا هو ان يكون بمثابة مرجع مفيد يسترشد المرء به في مثل هذه الظروف والحالات .

لقد كانت المصاعب التي واجهناها في جمع هذا المعجم كبيرة للغاية ، فقد كان علينا اولا ان نقرر المجالات التي يجب ان يشملها نطاق عملنا ، كما كان علينا ان نقرر النقطة التي تبدأ فيها حقول الادارة الحدود التي تنتهي عندها . ومن البديهي ان تفسير مصطلح الادارة تفسيرا دقيقا وحرفيا من شأنه ان يوسع نطاقها ويزيد من شمولها . ففي سياق الكلام عن مصطلحات الادارة الخاصة بمهنة الحلاقة ، مثلا ، او ادارة منشأة لصيد الاسماك او مطعم او معمل لمعالجة النفايات ، يبدو لنا من الواضح ان التوسع في التفسير من شأنه ان يلقي بين ايدينا مزيدا من المصطلحات والتعابير التي لا حدود لها ولا حصر . ولهذا رأينا عند قيامنا باختيار مصطلحات هذا المعجم ان نعتمد نظرة اضيق ونحصر محتوياته في ما يلي :

أ — التعابير الادارية الاساسية المتعلقة بمبادىء الادارة ونظرياتها العامة .

ب — التعابير الهامة الشائعة في مختلف المجالات الخاصة ، كالتسويق والمال والانتاج وشؤون الموظفين .

ج — المصطلحات التي تصف اساليب الادارة المختلفة دون ان نستهدف شرحها بشكل يفي بكل حاجات الاختصاصيين في هذه الحقول .

د — مصطلحات خاصة بمواضيع اخرى لها علاقة بموضوع الادارة ، كالاقتصاد والقانون والاحصاء وعلم الاجتماع ، وذلك بالقدر الذي يربطها بحقل الادارة .

ان هذا العرض الموجز للاطار الذي وضعنا فيه معجمنا قد يساعد على تفسير الاسباب التي دعتنا الى ادراج كلمات معينة فيه وحذف كلمات اخرى منه . فهدفنا لم يكن جمع اكبر عدد ممكن من المصطلحات وشرحها . فالمصطلحات التي يستطيع المرء ان يجدها في المعاجم العادية والتجارية قد اسقطت من هذا المعجم تفاديا للتكرار الذي لا طائل تحته . وفي بعض الحالات اعطينا المصطلح الواحد تعريفات بديلة لكي يتمكن الشخص الذي يستعمل المعجم من اختيار التفسير الذي يناسب حاجته على النحو الافضل . ان الهدف الاول ، بل

الوحيد . الذي نرمي الى تحقيقه من هذا المعجم هو ان يجد فيه المديرون وطلاب الادارة ورجال الاعمال بعض الفائدة العملية . ولا بد لنا من الاشارة هنا الى ان مشروع هذا المعجم قد ابصر النور بفضل دراسات اجريت باشراف الجمعية البريطانية للادارة . وعلى الرغم من عدم استمرار دعم الجمعية طوال مدة الدراسة لتحقيق المشروع ، فان الجهد الفردي قد واصل مسيرته وظل مثابرا حتى تم له تحقيق المشروع .

ولا بد في الختام من كلمة شكر نوجهها الى جميع من اسهموا في انجاح هذا العمل منذ ابتدائه حتى نهايته .

هانو جوهانسن
اندرو روبرتسن

ABC Method

ABC Method الطَريقة الألِفْبَائِيَة . طَريقة التَرتيب القِيَمّي

هذه الطريقة تطبيق لمبدأ « الادارة بالاستثناء » (انظر : MANAGEMENT BY EXCEPTION) ، وهي تقوم على تحليل البضائع المخزونة الى فئات حسب قيمة الاستعمال السنوي الاجمالي لها . والهدف من هذا هو تركيز الانتباه على تلك الفئات من البضائع المخزونة التي تستدعي اكبر قدر من المراقبة . وتعرف هذه الطريقة ايضاً « بنظام الجرد المجزأ » .

Absenteeism التَغيّب . الغِيَاب

عدم الحضور الى العمل ، ويعبر عنه غالباً بنسبة مئوية : عدد الغائبين بين كل ١٠٠ موظف في فترة زمنية معينة . كيوم عمل أو نوبة عمل .

Absorption الأمتِصاص

انظر : AMALGAMATION

Absorption costing حِساب التكاليف التحْميليّ

تعبير امريكي يستعمل احياناً لوصف طريقة حساب التكاليف بعد تكبّدها او الطريقة « التقليدية » لحساب التكاليف . اي توزيع جميع التكاليف الثابتة والمتغيرة على البضائع والخدمات المنتجة .

Acceptable Outgoing Quality Level (AOQL) المُستَوى المَقبُول لنوعيّة البضائع الخارجة

انظر : AVERAGE OUTGOING QUALITY LEVEL

Acceptance Sampling المعاينَة للقَبُول

في الطريقة الإحصائية لمراقبة النوعية ، يعني هذا التعبير أخذ عيّنة من كمية من البضائع او المواد لمعاينتها بقصد تقرير ما اذا كانت الكمية بكاملها ستقبل ام سترفض .

Account Executive مُدير العَلاّقات بالعُملاء

المدير في هيئة موظفي وكالة الاعلان هو الذي يقوم بجميع المفاوضات مع العميل ويكون مسؤولاً عن الخدمة التي يتفق على تأديتها له .

Accountability تأديةُ الحِساب

١. التزام المرؤوس بأن يؤدي حساباً لرئيسه عن ممارسته الصلاحية المخوّلة له بصورة تتمشى مع المسؤولية الملقاة على عاتقه وعن تأدية الواجبات المسندة اليه .

I

٢. الالتزام بتقديم الادلة على حسن الادارة او الاشراف او الاداء ، كالتزام مجلس ادارة الشركة ، مثلا ، نحو المساهمين فيها .
٣. كثيراً ما يكون هذا التعبير مرادفاً للكلمة « المسؤولية » .

Accounting **المحاسبة**

المبادىء والأساليب التي تستخدم في انشاء وحفظ وتحليل سجلات العمليات المالية في المؤسسة التجارية او في اي نوع آخر من المؤسسات . وتعنى المحاسبة في الدرجة الاولى بوضع اساليب تسجيل العمليات وحفظ السجلات والقيام بتدقيق الحسابات الداخلي ورفع النتائج الى ادارة المؤسسة .

Accounting Period **مُدة المُحاسَبَة**

الفترة الزمنية ، كالسنة او الشهر ، التي توجز عنها العمليات المالية أو بيانات التكاليف المتعلقة بها وتُرفع الى ادارة المؤسسة .

Accounting Ratios **النِسَب الحِسابيّة**

انظر : FINANCIAL RATIOS

Acid Ratio Test **نِسْبَةُ الاخْتِبار الحَاسِم**

تقرير نسبة مجموع النقد والحسابات المدينة (حسابات المدينين) والقيمة السّوقية للاستثمارات السريعة التحويل الى نقد في مؤسسة ما، الى التزاماتها الحالية. فمثلا ، اذا كانت الميزانية العمومية تبين أن النقد المتوافر يبلغ ٥٠٠ جنيه استرليني وديون المدينين تبلغ ١٠٠ جنيه استرليني والاوراق المالية السريعة التحويل الى نقد تبلغ ما قيمته ٣٠٠ جنيه استرليني والالتزامات تبلغ ٣٠٠ جنيه استرليني ، فان نسبة الاختبار الحاسم تكون ٣ الى ١ . وهذه النسبة يستعملها المحللون الماليون ومحللو اعمال التسليف كدليل يرشدهم الى تقدير درجة الاعتماد والتي تتمتع بها مؤسسة ما . وهي تعرف ايضاً بالنسبة السريعة أو نسبة السيولة .

Activity Chart **رسم بيانيّ للفعاليّة**

مخطّط يبيّن تفصيل عملية ما او سلسلة من العمليات على اساس مقياس زمني .

Activity Ratio **نِسبة الفعّالية**

نسبة تستعمل في الادارة ، وهي تبين القسم الذي انجز من الانتاج المقرر .

Administration Cost

$$\frac{\text{الساعات القياسية للانتاج الفعلي}}{\text{الساعات القياسية للانتاج المقرر}} \times \frac{١٠٠}{١}$$

مُراقَبَة الفَعَالِيَّة بالمُعاينة **Activity Sampling**

طريقة لدراسة الفعَاليَّة بمراقبة عدد كبير من مراحل العمل في فترات معينة متكررة من الزمن وتسجيل النتائج آنياً وفقاً لخطة موضوعة مقدماً بالنسبة الى مجموعة من الآلات او العمليات او العمال . ويتم في كل مرة تسجيل ما يعاين في فترة معيّنة وتعتبر النسب المئوية للنتائج التي سجّلت في فترة زمنية معينة دالّة على النسبة المئوية الفعلية لزمن الفاعليّة وزمن التلكوء . وتعرف هذه الطريقة ايضاً باسم « مراقبة العمل بالمعاينة » و « طريقة القراءة السريعة » و « دراسة النسبة والتأخير » و « طريقة الملاحظة العشوائية » .

القِيمَةُ المُضْفَاة **Added Value**

القيمة التي تضفى على المواد بسبب عملية الانتاج ، وهي تحسب بحسم تكاليف المواد والوقود وغير ذلك من العناصر المستعملة في عملية الانتاج ، من قيمة المبيعات (الانتاج الاجمالي) . والقيمة المضفاة على صافي الخرج هي المال الذي تدفع منه الرواتب والاجور ويؤخذ منه الاستهلاك ونفقات البيع وما شابهها من النفقات الاخرى والايجار والريوع وغير ذلك . كما انه يشمل الربح ايضاً . انظر ايضاً : VALUE ADDED TAX

الإدارة التَنْفِيذيّة **Administration**

١. قسم الادارة الذي يُعنى بتفسير السياسة وترجمتها الى اجراءات تنفيذية .

٢. يستعمل هذا التعبير احياناً بمعناه المحدود وهو وضع الاجراءات وتنفيذها ، ويمكن في هذه الحالة اعتباره مرادفاً لعبارة « ادارة المكتب » .

٣. ناحية من نواحي عملية الإدارة تُعنى بوضع وتنفيذ اجراءات وضع البرنامج وابلاغه الى المختصين وتنظيم سير الاعمال ومضاهاته للخطط المقررة .

٤. كثيراً ما تستعمل هذه العبارة في اطار الخدمة العامة كتعبير مرادف للكلمة MANAGEMENT (انظر الكلمة في مكانها) .

تَكاليفُ الإدارة **Administration Cost**

جميع المصروفات الخاصة بادارة المؤسسة ومراقبتها والتي لا تتعلق مباشرة باعمال الابحاث والتنمية والانتاج والتوزيع والبيع .

ADMOS: Automatic Device for Mechanized Order Selection — أدْمُوْس – اختصار: الجهاز الاوتوماتيكيّ لانتِقاء الطـَلـَبات ميكانيكياً

يستعمل التعبير لوصف جهاز يستخدم في مستودع موحد للتحقق من توافر المنتجات واختيار الكميات الصحيحة من بضائع معيـّنة وتسجيل المخزونات والكميات الناقصة وتمرير البضائع بواسطة اجهزة نقل البضائع مباشرة الى مكان الحزم والارسال . ويُشغل الجهاز بواسطة البطاقات المثقبة أو الاشرطة .

ADP: Automatic Data Processing — اختصار : مُعالـَجة المُعـْطـَيات اوتوماتيكياً

Advertising — الإعلان

اي شكل منْ اشكال عرض الافكار او البضائع او الخدمات ، والترويج لها يجري لحساب شخص معين الهوية. وهو ينطوي على استعمال مختلف الوسائل ، كالمجلات والجرائد والبريد المباشر والملصقات والراديو والتلفزيون والمنشورات وغير ذلك .

Advertising Appropriation — إعتِماد الإعـْلاَنات

المال الذي يخصّص للاعلان في مدة التسويق او البيع المقرّرة .

Agent — الوَكيْل

شخص يبيع البضائع نيابة عن شركة دون ان يكون موظفاً مباشراً فيها وهو ، بعكس المعتمد التجاريّ (انظر : FACTOR) ، لا تنتقل اليه الحيازة القانونية للبضائع التي يقوم ببيعها .

AIDA: Attention, Interest, Desire, Action — انـْتِباه، إهتِمام، رَغبَة، عَمل

تعبير مشهور يستعمل في تدريب الباعة ليسهـّل لهم حفظ التسلسل الصحيح للمواقف التي يجب ان يتخذوها في اية مقابلة يجرونها لانجاز عملية البيع .

AIIE: American Institute of Industrial Engineers — اختصار : الجمعيّة الامريكية للمهندسين الصِناعيين

Algol — ألـْغُوْل

نظام منهجيّ دوليّ يستخدم في تشغيل الحاسبات الآلية ويكيف حسبما تقتضيه الاوضاع

Algorithm — النِظـَام الغـُوْليّ

تسلسل منهجي للتعليمات او القواعد الخاصة بحل المسائل او المعضلات . انظر ايضاً : DECISION TREE

Amortization

Allowed Time الوَقت المسموح به

مجموع الوقت الذي يسمح به لانجاز مهمة او اي جزء معيّن منها ، بما في ذلك الوقت اللازم للاحتياجات الشخصية والراحة والتأخير الذي لا يمكن تجنّبه .

Alpha Numeric Codes الرُموز الحَرْفيّة العَدَديّة

رموز للحاسبات الآلية تستعمل الحروف والارقام معاً .

AMA: American Management Association اختصار : الجمعية الامريكية للإدارة

Amalgamation الدَمْج . الإنْدِماج

عملية تَدْمُج بموجبها مؤسستان ، او اكثر ، موجوداتِهما والتزاماتِهما في مشروع واحد بعد استشارة مجلس (او مجالس) ادارة الشركات المعنيّة . وهو يعرف ايضاً بالادغام او الضم او الامتصاص . انظر ايضاً :

HORIZONTAL INTEGRATION, TAKEOVER BID و VERTICAL INTEGRATION.

American Institute of Industrial Engineers (AIIE) الجَمعية الامريكية للمُهندسِين الصِناعيّين

جمعية مهنية للمهندسين الصناعيين تقوم بدراسة الاعمال وغير ذلك . تأسست عام ١٩٤٨ .

American Management Association (AMA) الجمعية الامريكية للإدَارة

مؤسسة لا تستهدف الربح تأسست عام ١٩٢٣ لتقديم خدمات التدريب والابحاث وتعميم المنشورات والمعلومات الخاصة بمواضيع الادارة . ويتكون اعضاؤها من افراد وشركات وهي تصدر سنويّا خمس نشرات منتظمة وعدة تقارير عن الابحاث ، كما تديرِ مركز الادارة الاوربّي ليرعى مصالحها في اوروبا .

American Society of Mechanical Engineers (ASME) الجَمْعيّة الامريكية للمُهندسِين الامريكيين

مؤسسة مهنية تأسست عام ١٨٨٠ وقد ضم اليها قسم خاص بالادارة عام ١٩٢٠ .

Amortization إستِهلاك الدَيْن

١. عملية تسديد التزام أو دين أو مصروفات رأسمالية تدريجياً خلال مدة من الزمن (وفي حالات كثيرة عن طريق احتياطي الاستهلاك) .

٢. عملية استيعاب قيمة الاصول المتناقصة ، كالايجارات والريوع ، في التكاليف خلال مدة مقرّرة سلفاً .

Analog Computer **الحاسِبة الآليّة بالقِياس**

استعمال امريكي . انظر : ANALOGUE COMPUTER

Analogue Computer **الحاسِبَة الآليّة بالقياس**

حاسبة آلية تعمل باستعمال النظائر المادية للعوامل المتغيرة (كالمسافة مثلاً) . وهذه الحاسبة تستعمل بصورة رئيسية في التطبيقات العلمية بخلاف الحاسبة الآلية الرقمية (انظر : DIGITAL COMPUTER)

Analogue Representation **التمْثيل بالقِياس**

تمثيل عامل متغير بكمية ماديّة (كوضع الزاوية او الفلطية) وجعل هذه الكمية متناسبة مع العامل المتغير .

Analytical Estimating **التقْدير التّحْليلي**

طريقة التوصل الى التكاليف التقديرية لعملية معينة (من حيث ساعات عمل العمال او مبالغ المال التي ستُنفق ، وذلك بان تحلل مواصفات العملية الى عناصرها وتطبق على كل عنصر من عناصر الوقت او المال الاعتمادات المخصصة للايدي العاملة والآلات والمواد حسب استقائها من قياسات سابقة . وتستعمل هذه الطريقة بصورة رئيسية في صناعة البناء .

Annual Report **التقرير السّنويّ**

بيان يُطلب من مديري الشركة قانوناً تقديمه الى المساهمين في جمعية عمومية مرة واحدة في السنة على الاقل ، وهو يتألف من الميزانية العمومية وحساب الارباح وحساب الخسائر السنويين ، ويصحبهما عادة تقرير سرديّ عن الاعمال في الماضي وفي المستقبل .

انظر ايضاً : BALANCE SHEET

AOQL: Acceptable or Average Outgoing Quality Level **اختصار : المُستوى ، او المعدّل ، المقْبول لنوعيّة البِضاعة الخارجَة**

(انظر العبارتين)

Appraisal **التـقْـيِيْـم**

تقدير الاداء و/او التقدم في القيام بمسؤولية معينة او في تطوير الكفاءة الشخصية والفنية . انظر ايضاً : MERIT RATING

Appropriation Account **حِساب التّوزيع**

قسم من حساب الارباح والخسائر يبيـّن كيفية توزيع الارباح الصافية (الارباح بعد الضرائب) على حصص ارباح الاسهم وعلى حسابات الاحتياطي المختلفة ، كما تستعمل العبارة احياناً لوصف ذلك القسم من حساب الارباح والخسائر الذي يبيـّن كيفية توزيع الارباح الاجمالية .

انظر ايضاً : ADVERTIZING APPROPRIATION

Approve **يُوَافِق**

يقرّ رسمياً . يقبل شيئاً ما على انه مرضٍ . يصدّق

APT **ا.بي.ت.**

لغة خاصة بوضع البرامج انشئت في الولايات المتحدة الامريكية ، وهي تستعمل في انتاج الاشرطة لمراقبة آلات تشكيل المعادن التي تضبط بواسطته الارقام.

Arbitration **التـحْـكِيم**

عملية تسوية منازعة او شكوى معينة بين فريقين او اكثر بتقديم النزاع الى شخص او جماعة من الاشخاص المتجردين يختارها الفرقاء المتنازعون ، او الى وكيل محايد يعيـّن بموجب السلطات القانونية . وكثيراً ما يكون هناك اتفاق مسبق على القبول بقرار التحكيم كحكم ملزم .

Area Manager **المُديْر الأقلِيميّ**

هو عادة مدير مسؤول عن مراقبة عدد من الباعة او غيرهم من الموظفين الذين تسند اليهم مسؤوليات غير مركزية ويعملون في منطقة جغرافية معيـّنة .

Arithmetic Mean **الوَسط الحسابيّ**

قياس للاتجاه المتوسط مرادف عادة لكلمة « معدل » . مع انه ليس سوى قياس واحد من قياسات المعدل الاحصائية الكثيرة . ويتم الحصول على النتيجة بقسمة مجموع كميتين او اكثر

Array

على عدد البنود المعطاة . وعلى سبيل المثال ، فان المعدل الحسابي للاعداد الثلاثة ٣ و ٤ و ٥ = $\frac{١٢}{٣}$ = ٤ وهذا هو المعدل الحسابي البسيط او غير المرجّح . وللحصول على المعدل المرجّح تضرب كل قيمة في أس او معيار له دلالة معيّنة قبل جمعها ، ثم يجعل المقسوم عليه مجموع المعايير . فمثلاً ، اذا كانت القِيَم ٣ و ٤ و ٥ والمعايير ٣ و ٢ و ١ ، فاذن ، يكون المعدل الحسابي المرجّح :

$$\frac{(٣ \times ٣) + (٤ \times ٢) + (٥ \times ١)}{٣ + ٢ + ١} = \frac{٢٢}{٦} = ٦٦ \text{ و } ٣$$

انظر ايضاً : AVERAGE

Array
الصَّفِيف

تعبير احصائي لتجميع القِيَم بصورة مرتبة حسب مقاديرها . وترتب القِيَم عادة من اصغرها حتى اكبرها ، مثلاً : ١ و ٨ و ١٥ و ٢٣ و ٥٤ و ٨٠ .

Articles of Association
نِظام الشَّركة الأساسيّ

وثيقة يشترط القانون الحصول عليها قبل التمكن من تسجيل الشركة . وتدرج في هذه الوثيقة القواعد والنظم التي تتحكم بالتزامات الشركة القانونية واعمالها الداخلية ، بما في ذلك صلاحيات المديرين وواجباتهم واجراءات انتقال الاسهم واصدارات الرأسمال وغير ذلك . وقد يستعمل نموذج من النظام الاساسي (ويعرف عادة « بالجدول رقم أ ») وهو وارد في قانون الشركات لعام ١٩٤٨ بدلاً من وضع نظام خاص للشركة المنوي تأسيسها .

ASME: American Society of Mechanical Engineers
اختصار : الجَمعيّة الامريكية للمُهندسين الميكانيكيين

(انظر العبارة في مكانها)

ASME Symbols
رُموز الجمعية الامريكية للمُهندسين الميكانيكيين

رموز لدراسة الاعمال خاصة بالجمعية الامريكية للمهندسين الميكانيكيين تمت الموافقة عليها عام ١٩٤٧ ، وهي تستخدم تسجيل طبيعة الاحداث.في رسوم بيانية خاصة بسير الاعمال .

انظر ايضاً : PROCESS CHART SYMBOLS

8

Audit

Assembly Line **نِظَام التَجْمِيع**

ترتيب الآلات والمعدات والمواد والموظفين بشكل يسمح للقطعة التي يجري العمل عليها، بان تنتقل من عملية الى اخرى بصورة متعاقبة حتى تتم العملية كلها او مرحلة منها ، او حتى يتم تجميع اجزاء السلعة المنتجة .

Asset **الأصْل**

اي شيء ذو قيمة يكون ممتلكاً ، ولمعرفة انواع الاصول المحددّة ، انظر : CURRENT ASSET, FIXED ASSET, INTANGIBLE ASSETS, TANGIBLE ASSET و WASTING ASSET

ASTRA: Automatic Scheduling with Time Integrated Resource Allocation **اختصار : تَحديْد المَواعيد اوتوماتيكياً بتوزيع المَوارِد بدمْج الوقت فيها**

(انظر العبارة في مكانها)

Attitude Survey **دِرَاسة المَواقِف**

دراسة لآراء الموظفين ومواقفهم بشأن السياسات المقررة او الضمنية ، او العادات المتبعة في العمل او اوضاع العمل او اية ناحية اخرى معينة من نواحي العلاقات بالموظفين . والهدف من هذه الدراسة هو تكوين انطباع عام عن الروح المعنوية مع ابداء ملاحظات عن الاسباب الرئيسية التي تؤثر فيها .

Attribute **الخَاصَّة**

صفة او مجموعة من الصفات يعبّر عنها بشكل كمّي لاغراض التحليل الاحصائي والرياضي والحسابي . وتستخدم الكلمة ايضاً بصورة خاصة في سياق الكلام عن الفرد اشارة الى الصفات الشخصية الفطرية في تكوينه .

Audit **تَدقيق الحِسابَات**

١. عملية يقوم بها الغير للتحقق من سجلات المؤسسة الحسابية ، ويشمل تدقيق الحسابات عادة مراجعة السجلات على المستندات الاصلية التي ادّت الى نشوء المعاملات المسجّلة فيها ، والتثبت من الأرصدة الدائنة والارصدة المدينة بالتحقيق المباشر والتأكد من وجود الاصول الثابتة ومن قيمتها .

٢. ينطبق تعبير « تدقيق الحسابات » ايضاً على التحقيقات او التقديرات المنهجية غير المالية كتدقيق الادارة . انظر : MANAGEMENT AUDIT انظر ايضاً : INTERNAL AUDIT

Authorized Capital **الرأسمال المُصرَّح به**

مجموع قيمة رأسمال اسهم الشركة حسبما هو مسجّل او موافق عليه رسمياً في الوقت الحاضر ، على انه ليس من الضروري ان يكون قد اصدر كله .

Authority **السُلْطَة**

الصلاحية المرتبطة بوظيفة او عمل والتي تمّكن شاغل الوظيفة من تولي وتصريف واجباته ومسؤولياته واتخاذ القرارات المناسبة بشأنها .

Auto-Financing **التَمْويل الذّاتي**

اصطلاح امريكيّ

هو استعمال جزء من واردات المبيعات لتأمين وسائل دفع المصروفات الرأسمالية ، اي ذلك الجزء المتبقي بعد دفع جميع النفقات النقدية والضرائب وارباح الاسهم . انظر ايضاً :

CASH FLOW

Automatic Coding **وَضْع الرُموز أوتوماتيكيّاً**

انظر : AUTOMATIC PROGRAMMING

Automatic Data Processing **معَالجة المعْطيَات أوتوماتيكياً**

١. تنفيذ عمليات التسجيل ذات الطابع الحسابي او الاحصائي بواسطة معدات الكترونية على اساس استخدام حاسبة آلية تتم فيها جميع المراحل ابتداء من السجل الاصلي حتى التقرير النهائي دون تدخل انسان .

٢. تسلسل منهجيّ للعمليات التي تجري لمعطيات معيّنة بوسائل اوتوماتيكية ، كالدمج والفرز والحساب وغير ذلك ، بهدف استخراج المعلومات او تعديلها . ويعرف ايضاً باسم معالجة المعطيات الكترونياً .

Automatic Programming **وَضْع البَرامِج أوتوماتيكياً**

استخدام نظام خاص بمعالجة المعطيات اوتوماتيكياً لتأدية بعض مراحل العمل المتعلقة مباشرة باعداد برنامج الحاسبة الآلية . ويعرف ايضاً باسم وضع الرموز اوتوماتيكياً .

Automatic Scheduling with Time Integrated Resource Allocation (ASTRA) **تَحديد المَواعيد أوتوماتيكياً بتوزيع المَوارِد بدمْج الوقت فيها**

طريقة من طرق التحليل الشبكيّ ابتكرتها شركة جنرال الكترك (في الولايات المتحدة

Average Outgoing Quality Level

الامريكية) لكل المسائل الخاصة بتوزيع الموارد ووضع جداول زمنية للاعمال بهدف اعطاء تقدير واقعي لمواعيد انجازها .

التَشْغيل الأوتُوماتيكي **Automation**

١. يتميز التشغيل الاوتوماتيكي بثلاث خصائص رئيسية ، هي :
أ — المكننة ، اي احلال الآلات محل عمل الانسان ومهارته .
ب — التلقيم المعاد ، اي ان الآلات تنظم نفسها ذاتياً لتفي بالمتطلبات المقرّرة مسبقاً .
ج — العملية المتواصلة ، اي ان مرافق الانتاج متكاملة بحيث تؤلّف عملية انتاجية موحدة .
٢. يطلق التعبير ايضاً ، بشكل عام ، على عمليات نظام التجميع الاوتوماتيكية وعلى استعمال معدات معالجة المعطيات الكترونياً للنظم الكتابية ، وعلى استعمال المعدات الالكترونية المعقدة لمراقبة عمليات الصنع .
٣. مكننة مركّزة تشمل المراقبة الاوتوماتيكية المنسّقة لنظم عمل الآلات والشغل الاوتوماتيكي واختبار ومعالجة الموارد والمنتجات في مختلف نواحي سلسلة معينة من العمليات .

الطَريقة الأوتُوماتيكية لتقْدير البرامج ومُراجعتِها (أوتُوبَرْتْ) **Autopert**

نظام لتحليل الحالات الحرجة بسرعة ووضع شبكات لتقدير البرامج ومراجعتها باستعمال الحاسبة الآلية . وتختزن العناصر ووحدات القياس النموذجية للتحليل الشبكي بصورة دائمة على شريط مغناطيسي ، ولذلك لا يحتاج الشخص الذي يستعمله الآ الى توفير الحد الادنى من المعلومات ، وتقوم الحاسبة الآلية بجميع الاعمال المتكررة والرتيبة الخاصة بالحسابات الشبكية . انظر ايضاً : NETWORK ANALYSIS, CPM و PERT

المُعدّل **Average**

١. كلمة مرادفة عادة لتعبير الوسط الحسابي .
٢. يشير المعدل باوسع معانيه الى اي قياس لاتجاه متوسط في سلسلة من الكميات .
انظر : MOVING AVERAGE و ARITHMETIC MEAN و MEDIAN و MODE

المُسْتَوى المُتوسِط لنوعيّة البِضاعَة الخارجَة **Average Outgoing Quality Level (AOQL)**

المتوسط الاعلى او النوعية المقبولة لجميع كميات البضائع التي أجيزت بموجب نظام للمعاينة باستخدام الطرق المختلفة لاخذ العينات . وقد يعبر عنه بشكل نسب مئوية تمثل السلع المعطوبة .

BACIE: British Association for Commercial and Industrial Education اختصار : الجمعيّة البريطانيّة للتعليم التجاريّ والصناعيّ

(انظر العبارة في مكانها)

Balance Sheet المِيزَانيّة العمُوميّة

١. بيان بوضع الشركة المالي في تاريخ معيّن ، وهو يبيّن نوع وقيمة المصادر التي نتجت منها الاموال ومختلف الطرق التي استثمرت وانفقت هذه الاموال فيها . وتتألف الميزانية العمومية العادية من عمودين رأسيين ، ففي المملكة المتحدة تدرج الالتزامات في العمود الايسر والاصول في العمود الايمن (وبعكس هذا الترتيب في الولايات المتحدة الامريكية) . وتوصف الجهة اليسرى (الالتزامات) احياناً بعبارة « الرأسمال الموظف » او « مصادر الاموال » ، كما توصف الجهة اليمنى (الاصول) بعبارة « توظيف الرأسمال » او « تصريف الاموال » . ويجوز كذلك اعداد الميزانية العمومية في جدول او عمود واحد .

٢. موجز يعدّ في تاريخ معين بالمصادر التي استمد شخص او شركة الرأسمال منها واوجه الاستعمال التي وظّف فيها . وتبيّن الميزانية العمومية الاصلية للمؤسسة الاصول الرأسمالية ، وعندما تتكبد المؤسسة ديوناً تصبح المعادلة عندئذ كما يلي: الرأسمال + الالتزامات = الاصول ، وحالما تباشر المؤسسة اعمالها تصبح كما يلي : الرأسمال + الالتزامات + الايرادات = الاصول + المصروفات. ان اعداد الميزانية العمومية بصورة دورية تمكننا من ان نجري ، في بيان منفصل ، مقاصة بين الايرادات والمصروفات الخاصة بفترة معينة (قارن هذا البيان بحساب الارباح والخسائر PROFIT AND LOSS ACCOUNT) الذي يحسب فيه الربح والخسارة. وهكذا فان الميزانية العمومية السنوية للمؤسسة تبين الرأسمال + الالتزامات + الارباح (او الخسائر) = الاصول ، الاّ ان الارباح تخفض بقيمة مسحوبات صاحب المؤسسة (ارباح الاسهم او المبالغ المأخوذة من المال) .

Band Chart رَسْم بَيانيّ شَريطي

رسم بياني يعرض المعلومات على شكل طبقات او رقائق .

Bank Rate سعر القَطْع

النسبة المئوية التي يتقاضاها بنك انكلترا لقاء حسم الحوالات المالية المعتمدة . وهي تتحكم في اسعار الفائدة التي تدفع عن الودائع والحسابات المكشوفة عن طريق المصارف والمؤسسات المالية الاخرى ، كجمعيات البناء .

Bar Chart رَسْم بيَانيّ بِأعْمِدَة

تمثيل تخطيطي للمعلومات على شكل رسم بياني يكون فيه طول كل عمود او طول اجزائه متناسباً مع كمية ، او مقدار كل فئة ممثلة فيه . وتستعمل هذه الرسوم البيانية ، على سبيل المثال ، في مقارنة مقدار البنود المتساوية في الاهمية او اجزاء الكل او الزيادة فيها ، وكذلك في وصف تقدم انجاز الاعمال خلال فترات معينة من الزمن .

Base Year السَنة الأسَاس

تعبير احصائي يستعمل في تسهيل عملية المقارنة . يجري اختيار سنة معينة ، ولنقل سنة ١٩٦٨ . يتمثل الرقم ١٠٠ مثلاً ، وتبني الاتجاهات والحسابات الخاصة بالسنين التي تليها على اساس هذه الفترة الاساسية . فمثلاً اذا كانت المعلومات الخاصة بسنة ١٩٦٩ اكثر من المعلومات الخاصة بسنة ١٩٦٨ بنسبة ١٠٪ ، فيعبّر عنها بالرقم ١١٠ .

Basic Motion Time (BMT) وَقتُ الحَرَكَةِ الاساسيّة

نظام من الانظمة الخاصة بوقت الحركة الذي يقرر مقدماً ، ابتكره بي . برسفريف وجي. ب. بايلي في كندا في عام ١٩٥٠ . وفي هذا النظام ، كما في الانظمة الاخرى الخاصة بالوقت الذي يقرّر مقدماً ، تدوّن جميع الحركات التي يمكن او يجوز انجازها اثناء القيام بالخدمة المنتجة او عمل المكتب ، وهذا يكون بمثابة الوقت القياسي لانجاز كل حركة من هذه الحركات . وتعرّف الحركة الاساسية بانها الحركة المفردة الكاملة لاحد اعضاء الجسم ، ويأخذ نظام وقت الحركة الاساسية في حسابه المسافة التي يقطعها العضو في حركته والانتباه البصريّ اللازم لاكمال الحركة ودرجة الدقة المطلوبة ومقدار القوة اللازمة في الرفع وانجاز حركتين في وقت واحد والانتباه العقلي المطلوب للتنسيق او التوجيه او المعاينة .

Basic Work Data مُعْطَيَاتُ العَمَل الأسَاسِيّة

طريقة لقياس العمل ابتكرتها شركة الصناعات الكيميائية الامبراطورية المحدودة فيما يتعلق بالعمل الذي لا يجري بصورة متكررة .

Batch الدُفْعَة

كمية من المواد او القطع تختار كوحدة ليتم تصنيعها او ، في حالة المشتريات ، ليتم تسليمها في وقت واحد .

Batch Costing **تَقدِير تَكَاليف الدُفْعَة**

طريقة لتقدير التكاليف توزع فيها على كل دفعة جميع التكاليف المتكبدة في انتاجها .

Batch Production **الإنتاج بالدُفُعَات**

اسلوب من اساليب الانتاج تكون فيه الكميات المجهزة اكثر من عملية واحدة ولكن انتاجها لا يجري بصورة متواصلة ، كما هو الحال في الانتاج بالجملة . انظر : MASS PRODUCTION

Bayesian Theorem **نَظرِيّة بَايْزْ**

نظرية احصائية تنسب الى توماس بايز ، وهو احد الذين اسهموا في نظرية الاحتمالية في القرن الثامن عشر . ونظرية بايز تقدم الاساس لحل انواع معينة من المعضلات وتشرح الطريقة التي يمكن بها ضم عينات من المعلومات التي تم الحصول عليها حديثاً الى احتمالات شخصية سابقة للتوصل الى احتمالات شخصية اخرى معدّلة . وباستعمال هذه الاحتمالات المعدّلة . يمكن سلوك طريقة عمل جديدة كما يمكن الحصول على معلومات اكثر وتكرار التسلسل مرة بعد اخرى . وتعنى طريقة بايز بالنظرة الذاتية الى الاحتمالية .

Bedaux (Point) System **نِظام بيدو (بالنُقَط)**

نظام تشجيعي خاص بالاجور ابتكره . لاول مرة . تشارلز بيدو عام ١٩١١ لتحديد المكاسب معبّراً عنها بعدد « الدقائق الضرورية في عدد العمال » المطلوبة لتأدية مهمة او عملية معينة على اساس معيار ما تم قياسه وتحديده سلفاً . ويقاس الانتاج بوحدات زمنيّة وتقدّر العمليات بموجب مقدار العمل الذي يستطيع الرجل المتوسط تأديته وتدفع له مكافأة عن اي عمل يؤديه زيادة على المعيار المقرّر .

Benchmark **عَلاَمَةُ الإسْنَاد**

١. مستوى او نقطة او معيار في سلّم او نطاق يمكن تقييم الاداء بالنسبة اليه .

٢. قد يشير التعبير ايضاً الى تقييم الوظيفة وتعيين درجة لها . ان الوظيفة الموضوعة على اساس علامة الاسناد هي الوظيفة التي قيّمت بعناية ودقة والتي تشكّل اساساً لانشاء وظائف اخرى ولتحديد مستوى الرواتب .

Bernouilli Process **عملية برنويللي**

اسلوب احصائي مبني على اساس نظرية التوزيع الثّنائي التي تستخدم في تقرير عدد المرات التي سيقع فيها حدث معيّن في عدد معطى من الاختبارات المراقبة التي لا يمكن ان يكون لها

Binomial Distribution

سوى نتيجة واحدة من اصل نتيجتين ممكنتين ، وحيثما يكون الحدث محتمل الوقوع في اي من التجارب بنسبة معلومة . وتعرف هذه العملية ايضاً باسم التوزيع الثّنائي .

Bidding Theory **نَظَرِيّة المُزايَدَة**

تطبيق لستراتيجية المنافسة (انظر : COMPETITIVE STRATEGY) عن طريق الدراسة التحليلية لوجهات نظر ومواقف وموارد الشركات او المجموعات التي تسعى الى شراء مؤسسات اخرى .

BIM: British Institute of Management **اختصار : الجمعية البريطانية للادارة**

(انظر العبارة في مكانها)

Binary Code **نِظَام العَدّ الثُنائيّ**

نظام عددي يستخدم في اعداد برامج الحاسبات الآلية . ولا يستخدم في هذا النظام سوى رقمين اثنين وهما : الصفر و ١ . اما الارقام التي تزيد على الرقم ١ في اي عمود فيعبّر عنها باضافة وحدة واحدة وحملها الى الجهة اليسرى . مثال على ذلك :

النظام العشري	النظام الثنائي
٠	٠
١	١
٢	١٠
٣	١١
٤	١٠٠
٥	١٠١

Bin Card **بِطَاقَةُ الصُنْدُوق**

بطاقة لتسجيل المخزونات تحفظ في الصندوق او المكان او على الرف الذي تخزن فيه البضائع ، وتميّز محتوياته والكمية الموجودة منها . وقد تسجل في هذه البطاقة ايضاً الكميات المتسلّمة والمنصرفة والحد الاعلى والحد الادنى للكميات التي يجب تخزينها ومستوى الكميات التي يجري طلبها . وتسمى هذه البطاقة ايضاً ببطاقة تسجيل المخزونات .

Binomial Distribution **التَوزِيْع الثّنائيّ**

انظر : BERNOUILLI PROCESS

BMT: Basic Motion Time — **اختصار : وَقْتُ الحركةِ الاساسيّة**

(انظر العبارة في مكانها)

Bonus — **مُكافأة**

١. المبلغ الاضافي الذي يدفع الى شخص او مجموعة من الاشخاص لقاء عمل انجز زيادة على حد معيّن من الكمية والوقت ، او لقاء تحقيق اي هدف معين آخر .

٢. اي مبلغ يدفع بالاضافة الى فئات الاجور او الرواتب العادية .

Book Value — **القيمةُ الدَفتريّة**

القيمة المبيّنة في السجلات الحسابية لاصل من الاصول تمييزاً لها عن قيمته الحقيقية او قيمته السوقية . ولهذا فالقيمة الدفترية هي الثمن الاصلي ناقص الاستهلاك المتجمع .

Bookless Accounting — **مُحاسبَةٌ بِدُونَ دَفاتِر**

انظر : LEDGERLESS ACCOUNTING

BPC: British Productivity Council — **اختصار : مَجلِس الإنتاجيّة البريطانيّ**

(انظر العبارة في مكانها)

Brainstorming — **الإستِحْثاث**

احدى عمليات المناقشة الجماعية التي يشجع فيها افراد المجموعة ، باشراف رئيس لها ، على توليد اكثر ما يمكن من الافكار والاقتراحات المبتكرة الخلاقة في حدود فترة من الزمن قصيرة نسبياً . وتسجّل هذه الافكار ليقوم فيما بعد رئيس المجموعة او الادارة بتقييمها او انتقادها . ويعرف هذا التعبير ايضاً باسم التفكير الخلاق .

Brand — **العَلامَةُ المُميّزة . الصِنف**

١. الاسم او التصميم او العبارة او الرمز ، او كل هذه العناصر مجتمعة مما يستعمل للتعريف بالبضائع او الخدمات الخاصة ببائع واحد ويميزها عن بضائع او خدمات المنافسين .

٢. الاسم الذي تُعرف به سلعة معيّنة .

Brand Image — **الصُورَةُ الذِهْنيّة عن الصِنف**

الانطباع الذي تولّد في أذهان المشترين الفعليين والمحتملين عن صنف من اصناف السلع .

Breakeven Point

Brand Manager **مُدير الصنف**

موظف تنفيذي مسؤول عن ترويج وتسويق سلعة معيّنة من بين مجموعة من السلع التي تنتجها الشركة .

Breakeven Analysis **تحليل التعادُل**

طريقة لفحص العلاقات بين الوارد من المبيعات والتكاليف الثابتة والتكاليف المتغيرة لتقرير الحد الادنى لحجم الانتاج اللازم للتعادل (اي عدم تحقيق ربح او خسارة) ، ويستعمل هذا التحليل ، من الناحية العملية ، في المساعدة على اتخاذ القرارات او تحديد نتائج التغييرات التي تحدث في حجم الانتاج او مزج المنتجات او حجم المبيعات على التكاليف والارباح . والدالّة الرياضية للتعادل هي :

أ = ب (ا – ج)

أ = حجم المبيعات لتحقيق التعادل

ب = مجموع التكاليف الثابتة

ج = نسبة مجموع التكاليف المتغيرة لكمية البضائع التي تباع بسعر صافٍ مقداره جنيه استرليني .

ويعرف هذا التعبير ايضاً باسم تحليل التكلفة والحجم والربح ، وباسم التحليل الحدّي .

Breakeven Chart **الرسْم البيانيّ للتعادُل**

تمثيل تخطيطي يستعمل عادة في اظهار طاقة المشروع على الربح او غير ذلك في مختلف مستويات النشاط . وهو يبين العلاقة بين مجموع الدخل ومجموع التكاليف على مختلف مستويات الانتاج والبيع . وتقع نقطة التعادل حيث لا يتحقق ربح ولا خسارة . ويستعمل هذا الرسم في التكهن بالعلاقة بين الارباح ومجموع المبيعات خلال ظروف اقتصادية متغيّرة . ويعرف ايضاً بمخطط الارباح البياني .

Breakeven Performance **أداءُ التعادُل**

مستوى أداء العمل الذي يبدأ عنده دفع المكافآت .

Breakeven Point **نُقْطَةُ التعادُل**

النقطة التي لا يتحقق عندها ربح ولا خسارة حسبما يظهر في الرسم البياني للتعادل .

Brisch System **نِظَام « بِرْسِكْ »**

اسم مسجّل لطريقة من طرق تصنيف البضائع المخزونة وارقام القطع ، ووضع رموز لها .

British Association for Commercial and Industrial Education (BACIE) **الجَمعيّة البريطانيّة للتّعليم التجاريّ والصِناعيّ**

تشكّلت عام ١٩٣٤ باندماج جمعية تقدم التعليم في الصناعة والتجارة في الجمعية البريطانية للتعليم التجاريّ . وهي تنشر مجلة BACIE

British Institute of Management (BIM) **الجمعية البريطانية للادارة**

تأسست عام ١٩٤٧ بناء على توصية لجنة بايد ، وكانت في الاصل تحت رعاية وزارة التجارة . وهي مؤسسة مستقلة غير سياسية ولا تستهدف الربح ، تقدم الخدمات الاستشارية والمعلومات الخاصة باصول الادارة واساليبها وتنظيم المؤتمرات والحلقات الدراسية ونشر الكتب الخاصة بمواضيع الادارة .

British Productivity Council (BPC) **مَجلِس الإنتاجِيّة البرِيطانيّ**

تأسس هذا المجلس عام ١٩٥٢ . وهو يهدف الى خلق تقدير أكبر للحاجة الى زيادة الانتاجية والى طرق تحقيق ذلك . وهو ينشر مجلة شهرية تدعى الهدف "TARGET".

British Standard Rating Scale **السُلّمُ البرِيطانيّ للتقدير القِياسيّ**

سلسلة من المؤشرات العددية تستعمل في دراسة الاعمال ، وهي تشتمل على ارقام من صفر الى ١٠٠ تعيّن لمختلف نسب العمل . فالتقدير المعبّر عنه بالصفر يدل على عدم وجود اي نشاط ، والتقدير المعبّر عنه بالرقم ١٠٠ يدل على النموذج او المستوى من النشاط المرغوب فيه حسبما جرى قياسه .

ان التقدير ١٠٠ يعادل التقدير ٨٠ او التقدير ١٣٣ في سلالم اخرى شائعة الاستعمال .

British Standard Institution **مُؤسّسةُ المقَاييسِ البرِيطانيّة**

مؤسسة المقاييس البريطانية هي الهيئة الرسمية المعترف بها لاعداد المقاييس الوطنية في بريطانيا . وقد بدأت عملها كلجنة المقاييس الهندسية التي انشأتها جمعية المهندسين المدنيين عام ١٩٠١ واعيدت تسميتها في عام ١٩١٨ باسم الجمعية البريطانية للمقاييس الهندسية ومنحت امتيازاً ملكياً في عام ١٩٢٩ . واخيراً سميت باسمها الحالي في عام ١٩٣١ .

Budget **الميزانيّة**

١. خطة عمل تقوم على اساس فحص انتقادي للانجازات السابقة ، وتتأثر بتقدير معقول للعوامل الحالية والمستقبلة التي يحتمل ان تؤثر في النتائج . انها اداة بيد الادارة تستخدمها لاتخاذ قرارات حكيمة ، كما انها طريقة للتنبوء ولفرض المراقبة .

٢. بيان مالي و/او كمّي يعد بالنسبة الى مدة محدّدة من الزمن عن السياسة التي يجب اتباعها خلال تلك المدة بقصد تحقيق هدف معيّن .

Budgetary Control/Budgeting Control **مُراقبة الميزانيّة/مُراقبةُ وضعِ الميزانية**

وسيلة لمراقبة نشاطات المشروع عن طريق التنبوء بمستوى كل نشاط فيه بدقة وعناية وتحويل هذه التقديرات الى قيَم مالية . وتراجع بصورة دورية التكاليف الحقيقية والايرادات من كل وجه من اوجه النشاط على التقديرات للاسترشاد بها في عملية المراقبة .

Budgeting **وضع الميزانية**

١. اجراء يرسم بواسطة التعابير الكمّية و/او المالية الاهداف المطلوب تحقيقها في مدة معيّنة في المستقبل (سنة واحدة في العادة) . والسياسات والاساليب والموارد التي تستخدم في تحقيق هذه الاهداف .

٢. تخطيط وتنسيق مختلف الاعمال والوظائف في المؤسسة للحصول على نتائج ممكن تحقيقها ، ومراقبة الانحرافات عن الخطة المعتمدة لكي يمكن تحقيق النتائج المرجوّة .

Buffer Stock **المَخْزُونُ الإحتياطِيّ**

المخزون من البضائع الذي يلبي الطلب العَشْوائي او الطلب الذي لم يُتنبأ به . ويعرف ايضاً باسم مخزون الامان .

Burden **العِبْءُ**

انظر : INDIRECT COST

Burolandschaft **بيْرُوْلاَنْدْشَافْتْ**

كلمة المانية مرادفة للعبارة OPEN PLAN OFFICE (انظر العبارة في مكانها)

Business

العَمَل . المُؤسّسة **Business**

شخص او مجموعة من اشخاص يزاولون مشروعاً حرفياً او تبادلياً او تجارياً او صناعياً او خاصاً بتقديم الخدمات بقصد تحقيق الربح .

لُعْبَةُ الأعمال **Business Game**

تمرين بالمحاكاة تستعمل فيه نماذج رياضية لحالات تجارية (او عسكرية) . ويقرر فيه فرقاء من المديرين او الطلاب او غيرهم طريقة العمل التي يجب اتباعها في ضوء معطيات معيّنة . وهذه القرارات ، التي تتخذ بينما يجري تغيير في المقادير ، تُختبر وتقدّم كمّيا عن طريق الاستعانة بالجاسبة الالكترونية عادة . وتستخدم هذه اللعبة بصورة رئيسية في التدريب على الادارة التنفيذية . وتعرف ايضاً باسم لعبة الادارة .

الإحدَاد والتَموين في المؤسّسة **Business Logistics**

١. ادارة التوزيع

٢. تطبيق الاساليب الرياضية والاحصائية على جميع اوجه النشاط في المؤسسة ، وهي الاساليب التي تعنى بحركة البضائع والموظفين (كالنقل ومناولة المواد وتخزينها) وبتنسيق العرض والطلب (كتسيير الطلبات ومراقبة المخزونات) . ان هدف الامداد والتموين العام هو تأمين وجود وتوفّر البضائع والايدي العاملة في الوقت والمكان الصحيحين وبالكميات الصحيحة لتلبية الطلب .

سِلعَة جَانبيّة **Byproduct**

سلعة تنتج عَرَضِياً من صنع سلعة اخرى .

Capital Expenditure

C Chart رَسْم بيانيّ للمـُراقبة

شكل من اشكال الرسم البياني لمراقبة النوعية بوصف خاصيات السلع . يدوّن فيه عدد عيوب العيّنة المأخوذة .

Capacity Usage Ratio نِـسبـَةُ استعمال الطـّاقة

العلاقة بين عدد ساعات العمل المقررة واقصى حد ممكن لعدد ساعات العمل في مدة الميزانية .

Capital الرأسْمال

تستعمل هذه الكلمة في مجالات كثيرة متنوعة :

١. البضائع المنتجة والمقصود بها انتاج بضائع اخرى .
٢. المبلغ الذي يستثمره اصحاب المشروع في مشروعهم (كرأسمال المساهمين المدفوع) .
٣. القيمة الصافية او حقوق المساهمين .
٤. يعين الرأسمال ، بالنسبة الى الاقتصاديين ، واحداً من عناصر الانتاج الثلاثة ، والعنصران الآخران هما الارض والعمل .

Capital Asset الأصْل الرأسْماليّ

انظر : FIXED ASSET

Capital Budget مِيزَانِيـّةَ الرأسمـَال

الميزانية التي تعنى بالمصروفات الرأسمالية المقترح انفاقها على الاصول الثابتة وتمويلها .

Capital Employed الرأسمال المـُوَظّف

١. اجمالي الرأسمال الموظف ، اي مجموع الاصول الثابتة والاصول الحالية .
٢. صافي الرأسمال الموظف ، اي مجموع الاصول الثابتة والاصول الحالـّة ناقصاً الألـْتزَامَاتِ الحـَالـّية .
٣. صافي الرأسمال الموظف لاصحاب المشروع او المساهمين فيه ، اي رأسمال الاسهم المدفوع زائداً المبالغ الاحتياطية .

Capital Expenditure المَصْرُوفات الرأسمالية

المصروفات التي تنفق على الاصول الثابتة الاضافية والتي تزيد من قيمة طاقة الاصول الثابتة

Capital Goods

الموجودة وكفايتها . ويقصد بالمصروفات الرأسمالية ايجاد منفعة في المستقبل ، بعكس المصروفات الايرادية ، فانها تنفق ضمن مدة المحاسبة الحالية .

Capital Goods

سِلَعٌ إنتَاجِيّة

تعبير يطلق على الآلات والمُعَدّات التي تستعمل في التجارة ، او الصناعة ، ولكن يستثنى منها الادوات القابلة للاستهلاك ، كالمبارد مثلاً . وهذه السلع تعرف ايضاً بسلع التصنيع .

Capital Reserve

إحتياطيّ الرأسمال

المكاسب والمبالغ المستبقاة في العمل الواردة من مصادر اخرى (كالزيادات في قيمة الاسهم) والتي لا تكون متوافرة لتوزيعها على المساهمين عن طريق حساب الارباح والخسائر ، اما لاسباب قانونية او بسبب احكام واردة في نظام او عقد الشركة الاساسي او لسياسة اتخذها اعضاء مجلس ادارة الشركة .

CAPSTAN: Computer Analysis of Projects by Sneddon, Trusler and Nicholson

اختصار : تَحْلِيلُ المَشَاريع بالحاسِبات الآلِيّة بطريقة سْنَدن وتْرَسْلَر ونيكَلْسُن

برنامج مبسّط للحاسبة الآلية لتقييم ومراقبة المشاريع الصغيرة باستعمال طريقة التحليل الشبكي للحالات الحرجة . (انظر : NETWORK ANALYSIS)

Cartel

كَارْتَلْ . إتحادُ المُنتِجين

اتفاق بين مجموعة من الشركات لضبط اسعار سلعة معيّنة (قابل العبارة بكلمة MONOPOLY . انظرها في مكانها)

Case Study

دِراسةُ الحَالات الفَرديّة

اختيار وقائع خيالية او مستمدة من الحياة تصف حالة من الحالات الفنية او من حالات العلاقات الانسانية ضمن اطار صناعي او تجاري عادة ، وتلزم في اغراض تعليمية .

Cash Budget

مِيزانيةُ النَقْد

١. تنظيم منهجيّ للمقبوضات والمدفوعات المقدّرة لمدة محددة من الزمن .
٢. تقدير الواردات والمصروفات النقدية الحالية .

Cash Discount
الحَسْم لِتَعجيل الدَفْع
حسم من الدين يجوز اجراؤه بالنسبة المئوية المبيّنة اذا سُدّد الدين ضمن مدة معيّنة او في وقت لا يتجاوز تاريخاً محدداً.

Cash Flow
حَرَكَةُ النَقْد
١. بالنسبة الى المحاسب او الموظف المالي المسؤول عن ادارة اموال الصندوق من يوم الى يوم، يصف التعبير « حركة النقد » تداول النقد اللازم لتمويل مصروفات التشغيل اليومية او الاسبوعية وللوفاء بالالتزامات المالية اليومية او الاسبوعية.

٢. بالنسبة الى المحلل المختص بالاستثمار، يعني التعبير بياناً يوضح المقبوضات والمدفوعات النقدية التي تشمل مدة معينة. والهدف من هذا البيان ايضاح مصادر المقبوضات النقدية الواردة من مصادر داخلية وخارجية، والبنود التي انفقت المبالغ النقدية عليها، ونتيجة الموارد الحاضرة التي يمكن استعمالها اما في تمويل اعمال التوسع او تصفية الديون الطويلة الأجل او دفع ارباح الاسهم او غير ذلك. مثلاً:

بيان حركة النقد
للسنة المنتهية في ٣٠ حزيران ١٩٦٨

النقد المنفق على :	النقد المقبوض من :
المباني والآلات	مصادر داخل الشركة
الرأسمال العامل الاضافي	الارباح المستبقاة
استثمارات تجارية	الاستهلاك المستبقى
اصول غير مادية	مصادر خارج الشركة
	اصدار اسهم جديدة
	قروض

انظر ايضا : CASH BUDGET

Cash Forecast
التَنَبَّؤ بِكَمية النَقْد
١. تقدير للواردات التي يتوقع تجمعها في المستقبل من اتباع خطة تجارية او عقد صفقات معينة.

٢. حركة النقد المتجمع او المتوقع تجمعه من مزاولة اعمال تجارية بالنسبة الى خطة او ميزانية مقررة سلفاً.

انظر ايضاً : CASH FLOW

Centralization

Centralization **المَرْكَزِيّة**

حصر المراكز الرئيسية والمسؤولية عن الوظائف والخدمات الاقليمية في مقر الشركة الرئيسي .

Centralograph **المُمَرْكِز**

جهاز يستعمل لتسجيل اداء الآلة بصورة مركزية بالنسبة الى عدد من الآلات .

Center for Interfirm Comparison **مَركَزُ المُقَارنة بين الشَرِكات**

انظر : INTERFIRM COMPARISON

Chain of Command **تَسَلْسُلُ السّلُطَات**

علاقات المرؤوسين برؤسائهم الناشئة عن تفويض السلطة والمسؤولية واعادة تفويضهما الى اشخاص في مستويات متدنية تباعاً داخل المؤسسة .

Chain Store **محلات السِلْسِلَة**

مجموعة من محلات البيع بالمفرق تكون من النوع نفسه اساساً وتملكها هيئة واحدة وتخضع لدرجة معيّنة من المراقبة المركزية .

Characteristics of Easy Movement **خوّاص الحَرَكَةِ السَهْلَة**

انظر : MOTION ECONOMY

Chart **رَسْمٌ بيَانيّ**

وسيلة ايضاح بصرية تصف بطريقة تخطيطية تمثيل المعلومات الاحصائية او غيرها للمساعدة على عملية التفسير . انظر ايضاً : BAR CHART و GANTT CHART و PROCESS CHART و Z CHART

Check List **قَائِمةُ المُراجَعَة**

قائمة اسئلة مهيأة ومعدة للمساعدة في عملية التحليل او التخمين او المراجعة عن طريق لفت انتباه القائمين بها الى نواحٍ معيّنة في حالة عمل او موضوع ما .

Checkoff **إقتِطَاع**

حسم الآجر الاشتراكات المستحقة للنقابات العمالية من رواتب موظفيه ودفع هذه المبالغ الى النقابات المعينة .

Chief Executive كَبِير الإدارِيّين التَّنفيذيّين

١. كثيراً ما يكون هذا التعبير مرادفاً لعبارة « المدير المنتدب » ، ويستعمل في اغلب الاحيان في وصف المسؤولية التي يضطلع بها شاغل هذه الوظيفة ، وليس كاسم للوظيفة ذاتها .

٢. يستعمل التعبير في بعض الحالات كاسم لوظيفة او وصف لمنصب عال خارج مجلس الادارة ترتبط به المسؤولية عن ادارة المؤسسة وعن الادارة التنفيذية العامة فيها .

٣. شخص مسؤول عن تحقيق فعَاليّة الادارة بتنسيق اوجه النشاط في جميع نواحي المؤسسة وترجمة خطوط السياسة العامة التي وضعها مجلس الادارة الى تعليمات خاصة بالتشغيل . وهو يعد التقارير وجداول الاعمال لاجتماعات الادارة ويصدر التعليمات ويراقب تنفيذها حيثما يبدُو أنّ التخطيط والتشغيل ينحرفان عن السياسة المتفق عليها . ويظل مطّلعاً على سير اعمال المؤسسة ومحتفظاً برقابته عليها عن طريق الاجتماعات الاستشارية والتقارير التي يتلقاها من رؤساء الدوائر ويؤمن تعاقب الاشخاص الاكفاء على الادارة باتخاذ القرارات الخاصة بتعيين موظفين جدد في وظائف ادارية عالية وبالعمل على تقديم التدريب على المستوى التنفيذيّ والرئاسيّ .

CIOS: Comité International de l'Organisation Scientifique
اختصار : اللَّجْنَةُ الدَّوْليّة للتَّنْظِيم العِلمِيّ

مؤسسة دولية للادارة تأسست عام ١٩٢٤ ومقرها الرئيسي في جنيف . والهدف الاساسي لهذه اللجنة هو نشر اساليب الادارة ومبادئها على نطاق عالمي ، ويتكوّن اعضاؤها من المؤسسات الوطنية للادارة في حوالي خمسين بلداً .

CIPM: Council for International Progress in Management
اختصار : مَجلِس التَّقَدّم الدَّوْليّ في الإدَارَة

مؤسسة امريكية تمثل كل جمعيات الادارة في الولايات المتحدة الامريكية .

Circulating Asset الأصل المُتَداوَل

انظر : CURRENT ASSET

Circulating Capital الرأسمَال المُتَداوَل

انظر : WORKING CAPITAL

Clock Card بِطاقَةُ قَيْد الوَقْت

بطاقة تسجل عليها آلة تسجيل الوقت اوقات وصول الموظفين الى العمل ومغادرتهم ، واوقات

Close Company

بدء وانتهاء مهمة ما او معالجة او عملية آلية . وهي تعرف ايضاً باسم بطاقة الوقت او تذكرة الوقت .

Close Company **الشّرِكَة المُقْفَلَة**

ورد تعريفها في الجدول ١٨ من قانون المال العام ١٩٦٥ ، وهي شركة يسيطر عليها خمسة مشاركين او اقل (تضم المشاركين والمنتسبين على حد سواء) ، او مشاركون يتولون مناصب المديرين فيها . وينضم اليها المساهمون وحملة السندات وحملة الاسهم الاختيارية كمشاركين ، اما الاقارب الحميمون واوصياء الاسرة ، فينضمون اليها كمنتسبين . وعدا الاستثناءات المحددة في القانون المذكور ، فان جميع شركات الاسر غير المدرجة هي الآن شركات مقفلة ، باستثناء مرجّح وهو ان الشركة لن تكون بعد الآن شركة مقفلة اذا كان ٣٥ في المائة على الاقل من الاسهم التي يحق لحامليها التصويت (باستثناء الاسهم الممتازة) يملكها الجمهور .

Closed Shop **مَشْغَلٌ مُقْفَلٌ**

مكان للعمل لا يقبل للاستخدام فيه الا اعضاء نقابة عمالية معترف بها .

COBOL: Common Business Oriented Language **اختصار : لُغَةٌ مُشْتَرَكَةٌ مُكَيَّفَةٌ لِخدمةِ الأعمَال**

لغة للحاسبة الآلية تستخدم الرموز الموضوعة اوتوماتيكياً لتمثيل المعطيات التجارية للحاسبة الآلية بشكل قياسي . وهي النظير التجاري للعبارة FORTRAN (انظرها في مكانها) .

CODEL **كُوْدَيْل**

نظام شامل لوضع الرموز اوتوماتيكياً لبرامج الحاسبة الآلية .

Coding **وَضْعُ الرُمُوز**

١. في وضع برامج الحاسبة الآلية ، يعني التعبير وصفاً لاجراء معين بمصطلحات يمكن معها قبول ذلك الاجراء وتنفيذه وَفق نظام اوتوماتيكي معيّن .

٢. يعني التعبير عموماً تطبيق نظام منهجّي من اشارات الاسناد المتشابكة على مجموعة من البنود او العناصر او اوجه النشاط او غير ذلك .

COINS: Computerized Information System **اختصار : نظام المعلومات المجهزة بحاسبة آلية**

Collective Bargaining المُساوَمَة الجَماعِيّة

اجتماع اصحاب العمل بممثلين عن موظفيهم بقصد بحث فئات الاجور وساعات العمل واحوال العمل وغير ذلك ، والاتفاق عليها في النهاية .

Combination الضّم

انظر : AMALGAMATION

Common Language اللُغَةُ المُشْتَرِكَة

طريقة للتعبير عن المعلومات بشكل يمكن معه تشغيل انواع عديدة من آلات المكتب . وتبنى اللغة المشتركة على اساس استعمال وسائل معيّنة كالشريط الورقي او المغناطيسي والبطاقات المثقبة ، ويمكن استخدامها في معالجة المعطيات المتكاملة (انظر : INTEGRATED DATA PROCESSING)

Communication الأتصّال

١. وسيلة او طريقة لانتقال المعلومات
٢. ايصال او ابلاغ او مبادلة الافكار والمعارف والمعلومات والمواقف .

Communication Theory نَظَرِيّة الاتّصَال

تعبير شامل للفرضيات التي ينطوي عليها البحث المكرّس لدراسة عملية التشاور وتبادل الافكار او المعلومات بين الاشخاص المشتركين في نشاط معين او العاملين ضمن اطار واحد .

Company الشّرِكة

هي عبارة عن شخص معنوي ، ينشئها القانون ، ويكون لها وجود مستمر الى ان تجري تصفيتها وفقاً للاجراءات القانونية . ان الميزة الرئيسية للشركة هي كونها منفصلة انفصالاً تاماً عن الاشخاص الذين يجتمعون معاً لتشكيلها ، وهذا ما يعطيها صفة « التعاقب المستمر » ، ايّ ان اعمالها لا تتأثر باي شيء قد يحدث لاعضائها .

Company Planning التَخْطيط في الشّرِكة

انظر : LONG RANGE PLANNING

Competitive Strategy

Competitive Strategy — الإسْتراتيجيّة التَنافُسيّة

تعبير شامل للاساليب التحليلية لتقرير اهداف وسياسات المؤسسة بواسطة تقدير المعلومات عن التسويق و/او الابحاث الخاصة بالاعمال، مع اشارة خاصة الى مكانة المؤسسة النسبية في السوق.

Comptroller — مُراقبُ الحِساباتِ

انظر : CONTROLLER

Computer — حَاسِبَةٌ آليّة

اي جهاز باستطاعته قبول المعطيات وتطبيق سلسلة من العمليات عليها واعطاء نتائج هذه العمليات بصورة اوتوماتيكية.

Computer Input — المُعْطَياتُ المُلَقَّنَة للحاسِبَة الآليّة

١ ـ المعطيات المنقولة من مصدر خارجي الى مكان الاختزان الداخلي في جهاز لِمُعالَجة المُعْطَيَات.
٢. الاجراءات التي تتأثر بها عملية نقل المعطيات والمُعدّات التي تستعمل في هذا الغرض.

Computer Instruction Code — رَمزُ تَعليمَات الحاسِبة الآليّة

رمز يستعمل لتمثيل التعليمات الاساسية التي صنعت الحاسبة الآلية لها، او التي وضعت لها البرامج، لتقوم هذه الحاسبة بتنفيذها.

Computer Output — حَصيلةُ الحاسِبة الآليّة

١. المعطيات المنقولة من مكان الاختزان الداخلي في جهاز لمعالجة المعطيات الى مصدر خارجي.
٢. نتائج معالجة المعطيات بواسطة نظام تستخدم فيه حاسبة آلية.
٣. الاجراءات والمُعدّات التي تستعمل في نقل المعطيات من الحاسبة الآلية الى مصدر خارجي.

Conciliation — التَوْفيق

انظر ايضاً : ARBITRATION

Continuous Flow Production

Consolidated Balance Sheet **المِيزَانِيّةُ العُمُومِيّةُ المُوَحّدة**

ميزانية عمومية تضم فيها اصول والتزامات الشركة المهيمنة (الام) الى اصول والتزامات الشركات التابعة لها ، مبينة بذلك الوضع المالي لجميع هذه الشركات معاً كما لو كانت وحدة اقتصادية واحدة .

Consortium **كُونْسُورْتِيُوم**

اتحاد بين مؤسستين او اكثر للقيام بنشاط مشترك ، وقد يستدعي هذا النشاط ، او لا يستدعي ايجاد مؤسسة مشتركة مستقلة .

Consumer Durable **سِلْعَةٌ اسْتِهْلاَكِيّةٌ مَتِينَة**

سلعة استهلاكية لها حياة نافعة طويلة نسبياً ، كالسيارة او البرّاد .

Consumer Good **سِلْعَةٌ اسْتِهْلاَكِيّة**

سلعة اقتصادية معدة لاستعمال المستهلك العاديّ في آخر الامر . ويستعمل الاصطلاح عادة للتمييز بين هذه السلعة والسلعة الانتاجية ، اذ ان الفرق بينهما هو من حيث اوجه استعمال كل منهما . فالسيارة التي يستعملها شخص ما لاغراض ترفيهية سلعة استهلاكية ، بينما تكون السيارة نفسها سلعة انتاجية اذا استعملت لاغراض تتعلق بعمل المؤسسة (كتسليم البضائع مثلاً) . وتصنّف السلع الاستهلاكية احياناً حسب متانتها فنقول : متينة ، غير متينة ، شبه متينة .

Contingent Liabilities **إلتِزَامَاتٌ إحتِمَالِيّة**

التزامات غير محددة إمّا من حيث مقدارها او وقت حدوثها ، كنفقات دعوى قانونية تتعلق بعقد او بتعدٍ على براءة . وهذه الالتزامات تُبيّن كحواشٍ في الميزانية العمومية .

Continuous Billing **المُطَالبةُ المُسْتَمِرّة**

نظام تكون فيه عملية اعداد الكمبيالات او الفواتير او المستندات المماثلة لمجموعة من العملاء موزعة على دورة زمنية معينة بدلاً من حصرها في وقت واحد .

Continuous Flow Production **الإنْتَاجُ بالتَسَلْسُلِ المُسْتَمِرّ**

انظر : LINE PRODUCTION و MASS PRODUCTION

Continuous Inventory **الجَرْدُ المُسْتَمِرُ**

انظر : PERPETUAL INVENTORY

Continuous Stocktaking **جَرْدُ المَخْزُونات المُسْتَمّر**

انظر : PERPETUAL INVENTORY

Contribution **الإسْهام**

١. قيمة المبيعات ناقصاً تكلفتها الحدية .

٢. يستعمل التعبير ايضاً لوصف الايراد الاجماليّ الإضافي الذي يتوقع تحقيقه ، او الذي تحقق فعلاً ، من المبيعات الاضافية بعد حسم التكاليف الخاصة بتلك المبيعات .

انظر ايضاً : BREAKEVEN ANALYSIS و MARGINAL COST

Control **يُراقِبُ**

١. يفحص شيئاً ما او ينظمه او يتحقق منه او يبقيه ضمن حدود معينة .

٢. يقوم بالتقيد او التوجيه بالنسبة الى تصرفات الناس الآخرين .

٣. يحلل الاداء في الماضي والحاضر لوضع مقياس وخطة للعمل في المستقبل .

٤. يراجع الاداء الفعلي (الحالي) بمقارنته بالمقاييس او الاهداف المقررة سلفاً .

Control Account **حِسَابُ المُرَاقَبَة**

حساب يرحّل اليه مجموع عدد من البنود المقيدة في حسابات افرادية لاغراض المراقبة والفحص .

Control, Budgetary **مُرَاقَبَةُ الميزَانيّة**

انظر : BUDGETARY CONTROL

Control, Production **مُراقَبَةُ الإنتَاج**

انظر : PRODUCTION CONTROL

Control, Quality **مُراقبةُ النَوعيّة**

انظر : QUALITY CONTROL

Coordinated Rotational Area Maintenance

Control, Stock   مُراقَبَةُ المَخْزُونَات
انظر : STOCK CONTROL

Controller   مُراقِبُ الحِسابَات

تعبير امريكي يطلق على موظف تنفيذي كبير مسؤول عن حفظ السجلات الخاصة بالامور المالية الداخلية ، واعداد التقارير عنها ومراقبتها . وقد يكون مسؤولا كذلك عن انشاء وحفظ المقاييس والميزانيات والتنبؤات لغرض مراقبة الاعمال وقياس مستويات الاداء بمراجعتها على الخطط الموضوعة . والتعبير واسع الانتشار في المملكة المتحدة ويعرف احيانا بكلمة
COMPTROLLER

Controlling Company   الشَّرِكَةُ المُسَيْطِرَة
انظر : HOLDING COMPANY

Conversion Cost   تَكْلِفَةُ التَّحْوِيل

تكلفة الانتاج يستثنى منها ثمن المادة المستعملة مباشرة ، ولكنها تشمل التكاليف الناشئة عن التباين في ماهية المادة المستعملة مباشرة في انتاج السلع التامة الصنع ، جزئيا او كليا ، او في وزنها او حجمها .

Conversion Value   قِيمَةُ التَّحْوِيل

تكلفة التحويل زائدا الربح المقرر على السلعة . وتسمى احيانا بالقيمة المضفاة . (انظر : ADDED VALUE)

Converter   المُحَوِّلَة

آلة لتغيير تمثيل المعطيات من شكل الى شكل او من واسطة الى اخرى لجعل هذا التمثيل مقبولا لاستعماله في آلة اخرى . كالوحدة التي تغيّر المعطيات المثقبة على بطاقات الى معطيات مسجّلة على شريط مغناطيسي . وقد تقوم المحوّلة ايضا بكتابة المعطيات على صورة تقرير . وتعرف هذه الآلة ايضا باسم محولة البطاقات الى اشرطة ، او المثقبة .

Coordinated Rotational Area Maintenance   الصِّيانَةُ المُنَسَّقَةُ الدَّوْرِيَّةُ للمَناطِق
انظر : CRAM

Coordination **التَنْسيق**

تأسيس وملء وظائف مختلفة بتوافق وتوازن مناسبين لتأمين القيام بعمل موحّد .

Coownership **المِلْكيّةُ المُشْتَركة**

انظر : COPARTNERSHIP

Copartnership **المُشارَكة**

مشروع يُعطى الموظفون بموجبه فرصة للمساهمة في رأسمال المؤسسة وللحصول على الارباح الناشئة عن ملكيتهم للاسهم . وهي تعرف ايضاً باسم الملكية المشتركة .

Corporate Planning **التَخْطيط في الشركة**

كثيراً ما يكون التعبير مرادفاً للتخطيط الطويل الامد لاهداف المشروع وللاستراتيجية الخاصة بتحقيقها . وهو يستعمل في الولايات المتحدة ايضاً بمعنى تشكيل تنظيمات الشركة واجهزة الادارة في المستقبل . انظر ايضاً : LONG RANGE PLANNING

Corporation **شَركَة . هيْئة**

تعني الكلمة في بريطانيا اصلاً المؤسسة المنشأة بموجب امتياز ملكي ، وتستعمل الآن للدلالة على الهيئة الاداريّة العامّة ، كما اصبحت تستعمل منذ عهد قريب لتعني الشركة . انظر ايضاً : COMPANY

Cost **التَكْلِفَة**

١. اي شكل من اشكال التضحية المالية ، سواء أأثرت هذه التضحية في حقوق المساهمين (انظر EQUITY) و/او المالكين خلال مدة معينة ام لم تؤثّر .

٢. تستعمل الكلمة احياناً كمرادف « النفقة » ، مع ان النفقات تعتبر عادة تكاليف على المكاسب المتحققة من الدخل .

Cost Accounting **مُحاسَبَةُ التَكاليف**

جزء من وظيفة المحاسبة يُعنى بتقرير تكاليف عملية او مهمة او سلعة او دائرة ، وتحليل تلك التكاليف والابلاغ عنها ومراقبتها . وتُوفّر المعلومات الحاصلة من محاسبة التكاليف اساساً تعتمد عليه الادارة في اتخاذ قراراتها .

Costing

Cost Benefit Analysis تَحْليلُ مَنْفَعَةِ التَكاليف

مقارنة بين تكاليف تقديم الخدمة او العمل ، والقيمة او النتائج الناجمة عن ذلك من حيث فائدتها المالية والاجتماعية . ان نجاح تقييم كهذا يعتمد على النجاح في تمييز اكبر عدد ممكن من النتائج ومدى امكانية تقييمها بمقادير مالية . وتستخدم هذه الطريقة في الدرجة الأولى في الدوائر الحكومية المركزية والمحلية .

Cost Centre مَرْكَزُ التَكاليف

اية وحدة في محاسبة التكّاليف تخصص التكاليف لها او توزع عليها . وقد تكون هذه الوحدة قسماً او دائرة او شعبة ، او مجموعة من المعدات والآلات ، او جماعة من الموظفين ، او مجموعة من عدة وحدات . وفي بعض الاحيان يسمّى هذا المركز ايضاً باسم مركز الميزانية .

Cost Effectiveness فعّاليّة التّكاليف

اسلوب لفحص طرق العمل البديلة فحصاً دقيقاً ومنهجياً ولاطلاع الادارة على القيمة النسبية لكل طريقة بديلة من وجهة نظر اهداف محددة .

Cost Standards مَقَاييْس التَكاليف

المستويات المقررة سلفاً لنفقة متوقعة او مسموح بها حسبما استخلصت من إعداد معيّن لمستويات العمل .

Cost Variance تَفاوُت التَكاليف

الفرق بين التكاليف المقررة في الميزانية او التكاليف القياسية وبين ما يقابلها من التكاليف الفعلية المتكبدة خلال فترة معينة .

Cost Volume Profit Analysis تَحليلُ التكْلِفةِ والحَجمِ والربح

انظر : BREAKEVEN ANALYSIS

Costing التَشْمين . تَقدير التَكاليف

انظر : COST ACCOUNTING

Cover

Cover **التَغْطِيَة**

تعبير يستعمله محللو الاستثمار لوصف مكاسب الشركات المحدودة ، وهو يدل على عدد المرات التي يزيد بها مجموع الارباح على الارباح الموزّعة .

Cover Analysis **تَحْلِيل التَغْطِية**

طريقة من طرق البحث الخاصة بالاعمال لجعل سياسة طلب البضائع اقرب ما تكون الى الفَعَالِيّة والكمال والهدف من هذه الطريقة المبنيّة على اساس فحص العيّنات عَشْوائياً هو تخفيض الرأسمال المجمد في البضائع المخزونة الى ادنى حد ووضع تقديرات كمية للمبالغ التي يمكن توفيرها . وتعرّف تغطية صنف من الاصناف بانها نسبة متوسط كمية البضائع المخزونة من هذا الصنف الى الكمية التي تستعمل منه سنوياً .

CPA: Critical Path Analysis **اختصار : تَحْلِيلُ الأعمالِ الحَرِجَة**

(انظر : CRITICAL PATH ANALYSIS)

CPM: Critical Path Method **اختصار : أسْلُوبُ الأعمالِ الحَرِجَة**

(انظر : CRITICAL PATH METHOD)

CPS: Critical Path Scheduling **اختصار: وَضْعُ جَدولٍ زَمَنِي للأعمالِ الحَرِجَة**

(انظر : CRITICAL PATH SCHEDULING)

CRAM: Card Random Access Memory **إختصار : ذاكرةٌ للتوصّل الى مُعْطَيات البطاقات عَشْوائياً**

وسيلة من وسائل الاختزان في الحاسبة الآلية تيسر الحصول بسرعة على المعطيات الخاصة بالحاسبة الآلية . اما بترتيب عَشْوائي او متعاقب .

(Coordinated Rotational Area Maintenance) **٢. اختصار : الصيانة المنسّقة الدورية للمناطق**

طريقة مبنيّة على اساس « تكويم » اعمال الصيانة غير الاضطرارية .

Creative Thinking **التَفكيرُ الخَلاّق**

انظر : BRAINSTORMING

Critical Path Scheduling

Creditor **الدائن**

طرف يستحق له مال نتيجة لصفقة جرت بالدين يكون الطرف الآخر فيها هو المدين .

Credit Note **إشْعارُ دائِن**

مستند ينشئه مرسل البضاعة ويقيّد بموجبه مبلغاً من المال لحساب المرسل اليه ، كأن يقيّده مثلاً عن بضاعة مرّجعة او بسبب اخطاء وقعت في تقييد المبالغ الاصلية على حساب المرسل اليه .

Credit Rating **تَقديرُ الإعْتماد المَلاءَة**

طريقة لتقدير العملاء الحاليين والعملاء المحتملين من حيث جدارتهم الائتمانية .

Critical Path Analysis **تحليلُ الأعمالِ الحَرِجة**

١. طريقة من طرق التخطيط تعتمد على التحليل الشبكيّ وتستخدم في تخطيط المشاريع المعقدة تخطيطاً اقتصادياً . وهي تبين بصورة بيانية العلاقات المترابطة بين جميع اوجه النشاط في المشروع حسب التسلسل وبطريقة تبرز ما كان منها مهماً لتأدية العمل الاجمالي بصورة صحيحة .

٢. شكل من اشكال التحليل الشبكي يستخدم في تقرير سلسلة متواصلة من الاعمال المهمة لانجاز مشروع ما في وقت لا يتجاوز التاريخ المقرر لانجازه .

٣. يمتاز تحليل الاعمال الحرجة من الاشكال الاخرى من طرق التحليل الشبكي في شيئين : (أ) يكون فيه التخطيط منفصلاً عن وضع الجداول الزمنية و (ب) تكون فيه العلاقة بين الوقت والتكاليف علاقة مباشرة .

انظر ايضا : NETWORK ANALYSIS

Critical Path Method **أسْلُوبُ الأعْمالِ الحَرِجَة**

انظر : CRITICAL PATH ANALYSIS

Critical Path Scheduling **وضع جداول زمنية للاعمال الحرجة**

انظر : CRITICAL PATH ANALYSIS

الأصْل الحَالِيّ **Current Asset**

اصل من الاصول له صفة مؤقتة ويمكن تحويله الى نقد خلال مدة من الزمن قصيرة نسبياً . وفي البيانات المالية ، تدرج الاصول الحالية عادة بحسب درجة السيولة ، مثال على ذلك : اوراق القبض ، الحسابات المدينة ، البضائع السائرة (المدينون)، الاعمال الجاري تنفيذها ، وغير ذلك . وهو يعرف ايضاً بالاصل المتداول او الاصل السائر .

الإلتِزامَاتُ الحاليّة **Current Liabilities**

هي الالتزامات او المطالبات المعترف بها التي تستحق الدفع خلال مدة قصيرة نسبياً تكون عادة اقل من ١٢ شهراً . مثال على ذلك : ما يستحق دفعه للدائنين ، والمسحوبات المكشوفة من البنك والاحتياطي لدفع حصص الارباح .

النِسبَةُ الحَاليّة **Current Ratio**

نسبة تستعمل في المحاسبة وهي تساوي مجموع الاصول الحالية مقسوماً على مجموع الالتزامات الحالية . وهذه النسبة تقيس سيولة الشركة وقدرتها على الوفاء بالتزاماتها القصيرة الاجل ، اي ديونها الحالية .

عِلم التَحكّم الأوتُوماتِيكيّ **Cybernetics**

علم المراقبة والاتصال في الاجهزة الميكانيكية (الآلات) والاجهزة البيولوجية (الناس والمنظمات) .

المُطَالَبة الدَّوْريّة **Cycle Billing**

اسلوب في محاسبة المبيعات تعد فيه البيانات وترسل الى اصحابها خلال مدة المحاسبة بكاملها . وبموجب هذا الاسلوب ، ترتب حسابات العملاء في تسلسل منطقيّ ، حسب الحروف الابجدية عادة ، وتقسم الى دورات .

Data Processing
مُعَالَجةُ المُعْطَيَات

١. تسلسل منهجي للاعمال يتم على اساس الحقائق والارقام ، كالدمج والفرز والحساب وغير ذلك بهدف استخلاص المعلومات او تعديلها .
٢. اعادة ترتيب المعطيات وتنقيحها بشكل يجعلها مناسبة للاستعمال في المستقبل .
٣. الاجراءات الكتابية المترتبة على إعداد سجلات التشغيل والمحاسبة أو على التحليل الاحصائيّ .

Debenture
سَنَد

اي مستند يتضمن اقراراً بالمديونية . والكلمة تشير عادة الى قرض مضمون « بتكليف غير محدد » (اي عام) على الاصول ، وقد تشير ايضاً الى قرض مضمون باصول محددة ، او الى قرض غير مضمون .

Debit
قَيْدٌ على الحِساب

قيد او ترحيل مبلغ مطلوب ويدرج (في المملكة المتحدة) على الجانب الايسر من الحساب .

Debit Balance
الرَصيدُ الدّائن

رصيد الحساب الذي يزيد فيه مجموع المبالغ المدينة على مجموع المبالغ الدائنة .

Debit Note
إشعارُ مَدِينْ

يكون في العادة استمارة تبيّن المديونية ، كالتي يرسلها البائع الى المشتري لتصحيح مبلغ قيّد في الفاتورة على الحساب باقل من المبلغ المستحق ، او كالتي يرسلها المشتري الذي يعيد بضائع الى البائع . كما انه يستعمل احياناً بصورة عامة كمرادف للفاتورة .

Debit Ratio
نِسبةُ الدَّيْن

مجموع الالتزامات مقسوماً على مجموع الرأسمال لاظهار قوة الائتمان في المؤسسة .

Debug
يَتَفَقَّد

أن يقوم الفرد باختبار برنامج الحاسبة الآلية ، او نظام العمل في المؤسسة واكتشاف الاغلاط واخطاء الآلات وازالتها . ويعرف الاجراء ايضاً بالروتين التشخيصي .

Decentralization **اللاّمَركزيّة**

١. اسلوب لتنظيم العمل تُعطى بموجبه وحدات في المؤسسة تمثل منتجات منفصلة او وظائف مشتركة او غير ذلك مقداراً كبيراً من الاستقلال الذاتي . وهذا يعني ضمناً اعطاء الصلاحية والمسؤولية للوحدات ذات المستويات الدنيا في المؤسسة على ألاّ تحتفظ الادارة العليا الاّ بمهمة التوجيه فيما يتعلق بالسياسة العامة والقرارات الرئيسية التي لا تؤثر في المؤسسة ككل .

٢. تأسيس المصانع او المستودعات او المكاتب وتوزيعها بعيداً عن اماكن تجمع السكّان الكبيرة على ان يكون بين الواحد منها والآخر مسافةً معقولة . وهذا يمكن تطبيقه على صناعة من الصناعات عموماً او على شركة معيّنة .

Decision Theory **نَظَريّةُ اتّخاذِ القَرارَات**

دراسة وتطبيق الاساليب الرياضية التي توفر اساساً معقولاً للاختيار بين طريقتي عمل بديلتين في حالات على درجات متفاوتة من الشك وعدم التأكد . والهدف من ذلك هو ايجاد طريقة عمل تبقي احتمال وقوع المخاطر في حده الادنى .

Decision Tree **شَجَرَةُ القَرارَات**

طريقة لعرض قرار يتعلق بالعمل عرضاً مفصلاً والتفاعل بين قرار حالي ، والحوادث التي يحتمل وقوعها صدفة ، واعمال المنافسين ، والقرارات التي يمكن اتخاذها في المستقبل ونتائجها . وقد طبقت هذه الطريقة في فحص امكانية تطوير سلع جديدة واستراتيجية الابحاث والتنمية وبرامج تحديث المعامل. وهي شكل من اشكال الغورية. (انظر ALGORITHM)

Delegation **التَفْويْض**

تحويل المسؤولية والصلاحية في مجالات مختارة الى المرؤوسين .

Delivery Note **إشعارُ تَسْليم**

مستَند يُشعر المرسل اليه (المتسلم) بتسليم البضائع ، ويكون في صحبة البضائع عادة وتُبيّن فيه تفاصيل كمياتها واوصافها .

Demography **عِلْمُ السّكّان**

علم الاحصاء الاجتماعي الذي يُعنى بتكوين السكان .

DEMON: Decision Mapping via Optimun Networks — **اختصار : تَخْطيط القَرارَات عن طرِيق الشبَكاتِ المُثْلى**

اسلوب لاختيار افضل طريقة للعمل بواسطة التمثيل الشبكي ولتحقيق افضل استفادة من الاموال .

انظر ايضا : CRITICAL PATH ANALYSIS

Department — **دائِرَة**

١. وحدة ادارية تعنى بالاعمال وتضطلع بالمسؤولية عن نشاط محدد او عن منطقة طبيعية او وظيفية .

٢. تكون احياناً مرادفة لكلمة القسم (انظر DIVISION)

Department Store — **متْجَرُ الاقْسَام**

مخزن للبيع بالمفرق يتعاطى ببيع انواع كثيرة من البضائع ومقسّم الى اقسام منفصلة لاغراض الترويج والخدمة والمراقبة .

Depreciation — **الاسْتِهلاك**

١. النقص في القيمة الحقيقية لاصل من الاصول نتيجة للاستعمال ومرور الزمن . ومن الضروري ، من وجهة النظر المالية ، تخصيص مبالغ احتياطية من الارباح للسماح ، في نهاية الامر ، بابدال الاصول (اي الرأسمال المستثمر) . وتستبقى هذه المبالغ الاحتياطية في العمل . وقد يقرر الاستهلاك بطريقة النسبة الثابتة (التكاليف الدورية الاعتيادية) . وبطريقة الرصيد المتناقص (التكاليف الدورية التي يشكل كل منها نسبة ثابتة من الرصيد الباقي بعد حسم المبالغ التي استهلكت سابقاً) ، وبطرق اخرى بما في ذلك انشاء احتياطي للاستهلاك ، او بشراء بوالص تأمين معاش مدى الحياة او بوالص تأمين لمدد محدودة .

٢. طريقة او اجراء حسابيّ لتحويل الاصول الثابتة تدريجياً الى مصروفات حيث توزع قيمة الاصول المنسوبة الى الفترات التي استعملت فيها على مدد المحاسبة .

Diagnostic Routine — **الرُوتِين التَشْخيصِيّ**

انظر DEBUG

Digital Computer الحاسِبَةُ الآليّة العَدَديّة

حاسبة آلية تستخدم الاعداد (الارقام)للتعبير عن المتغيرات والكميات الخاصة بمسألة معينة . ويستعمل هذا النوع من الحاسبات الآلية عادة في نواحٍ تطبيقية تتعلق بالعمل .

Dimensional Motion Time (DMT) وقْتُ الحَرَكةِ البعْدِيّة

طريقة لتحليل الاساليب او الاعمال اليدوية الى الحركات الاساسية المطلوبة لأدائها ، وتعيين نماذج زمنية لها مقررة سلفاً .

Diminishing Returns المَرْدُودَاتُ المُتَنَاقِصَة

« قانون » او مبدأ اقتصادي يصف النقص الذي يحصل في مجموع الانتاج عند تغيير كمية احد عناصر الانتاج بينما تظل العناصر الاخرى ثابتة . ويؤكد هذا القانون أنّ عناصر الانتاج (الارض والعمل والرأسمال) لا يمكن استبدال الواحد منها بالآخر . وهو يعرف ايضاً بقانون النسب المتغيّرة .

Direct Costing حِسَابُ التَكاليفِ المُبَاشَرة

١. تعبير مرادف احياناً ، وخصوصاً في الاستعمال الامريكي ، لحساب التكاليف الحدية . (انظر : MARGINAL COSTING) .

٢. في المملكة المتحدة ، يستعمل احياناً كمرادف لعبارة حساب تكاليف السلع . (انظر : PRODUCT COSTING) .

Direct Costs التَكاليفُ المُبَاشَرة

١. تعبير امريكي لحساب التكاليف المتغيرة (انظر : VARIABLE COSTS) .

٢. التكاليف التي يمكن عزوها الى نشاط معيّن او الى سلعة معيّنة .

Direct Labour الأيْدي العَامِلة المُبَاشَرة

١. العمال الذين يقومون باحدى عمليات الصنع في مراحلها الهامة .

٢. يطلق التعبير في صناعة البناء على القوى العاملة التي تستخدمها سلطة محلية وتدفع رواتبها للقيام باعمال البناء او الصيانة التي تتولاها تلك السلطة .

Direct Mail — البَريد المُباشَر

عملية ارسال رسائل بالبريد تتعلق بالبيع الى شخص يحتمل ان يصبح مستهلكاً . وقد تستخدم هذه الطريقة كبديل عن وسائل الاعلان الاخرى والمقابلات الشخصية ، او كوسيلة مكمّلة لها .

Direct Materials — المَوَادّ المُباشَرة

المواد المستعملة في الانتاج والتي تصبح جزءاً من السلعة نفسها .

Direct Selling — البَيْعُ المُباشَر

بيع سلعة او خدمة الى المنتفع مباشرة دون تدخل تاجر الجملة او البائع بالمفرق او اي وسيط آخر .

Direction — التَوْجيه

ذلك القسم من الادارة الذي يُعنى بتقرير الاهداف والسياسة والتحقق من التقدم العام نحو تنفيذها .

Directive — الأمر التَوْجيهيّ

وسيلة من وسائل الاتصال ، وهو يُصدّر لاعطاء الارشادات او التعليمات او التوجيهات التي تتعلق بالسياسات او الاجراءات او الاعمال التي يجب اتباعها او تنفيذها .

Directors — المُديرُون

اعضاء شركة مساهمة معينون لتصريف شؤونها وفقاً لاحكام عقد تأسيس الشركة ونظامها الاساسي ومسؤولون قانوناً عن تنفيذ تلك الاحكام .

Discount — الحَسْم

١. الفائدة المحسوبة على مبلغ الدين الذي يستحق دفعه في تاريخ يقع في المستقبل .
٢. حسم بشكل نسبة مئوية من سعر البيع لسلعة ما ، وهو يختلف باختلاف طريقة التوزيع التي تباع بها تلك السلعة . ويسمّى ايضاً بالحسم التجاري .

Discount House

٣. تخفيض في سعر الاسهم المصدرة بالنسبة الى قيمتها الاسمية الاصلية (لا يجوز اعطاء الحسم عند اصدار الاسهم او الرأسمال ، ولكن يجوز اعطاؤه عند منح القرض ، والفرق بين مبلغ القرض الذي يتسلمه المقترض والمبلغ الذي يلتزم بدفعه في المستقبل يسمّى الحسم . ويجب على المقترض ان يجمعه من الارباح او من مصادر اخرى بحيث يكون جاهزاً في الوقت الذي يستحق فيه تسديد القرض) .

Discount House **بَيْتُ القَطْع**

مؤسسة للبيع بالمفرق تحوّل الى الجمهور جزءاً من الحسم التجاري الذي تتقاضاه على صورة تخفيضات في اسعار البيع وتقدم تبعاً لذلك خدمات باسعار مخفضة .

Discounted Cash Flow **حرَكَةُ النقْد المُعدَّل**

طَريقة لتقييم قدرة المشاريع ذات المصروفات الرأسمالية على الكسب ، وذلك بالحسم من مبالغ الايرادات السنوية المتوقعة او الدخل بنسبة معينة بحيث تكون القيمة الحالية المتجمعة لتلك الايرادات مساوية للمبلغ المستثمر في المشروع اصلاً . وينبغي عدم الخلط بين هذا التعبير وتعبير حركة النقد (انظر : CASH FLOW) . وهو يعرف ايضاً باسم نسبة المردود الصناعية ونسبة المردود الداخلية .

Distribution **التَوْزِيع**

١. تشمل الكلمة باوسع معانيها جميع الوظائف التي تُعنى بحركة البضائع من معمل الصانع الى المنتفع او المستهلك الاخير (الانتاج في جهة واحدة والتوزيع في الجهة الأخرى) ، وبهذا تجمع كل نواحي التسويق والبيع معاً .

٢. تشير العبارة بمعناها الصناعي الاكثر شيوعاً الى الحركة الفعلية للبضائع من المنتج الى المستهلك بما في ذلك النقاط المتوسطة بينهما التي تخزن البضائع فيها .

٣. تستعمل الكلمة احياناً لتعني ايضاً نسبة نقاط التصريف بالمفرق التي تخزن فيها السلع . اي التغطية الكاملة للسوق .

Diversification **التَنْوِيع**

التغيير الذي يجري بقصد تجنب الاعتماد على نشاط او استثمار واحد او على سلعة او خدمة واحدة .

Division القِسْم

١ . الوحدة او المجموعة التنظيمية التي تكون فيها اوجه النشاط منفصلة والتي تكون مسؤولة عن الاعمال فيها . وقد يكون القسم وظيفياً كقسم الانتاج ، اوجغرافياً كالقسم الشمالي مثلاً .

٢ . يعني القسم ضمناً أنه اكبر من الدائرة (اي ان الدوائر قد تكون اجزاء من الاقسام) ، مع ان الكلمتين مترادفتان في بعض الاحيان ، او أنهما تستعملان بترتيب معكوس (اي ان الاقسام قد تكون اجزاء من الدوائر) .

Division of Labor تَقسِيْمُ العَمَل

تجزئة العمليات والاعمال الى وحدات صغيرة للسماح للناس بالتخصص بمهمات معينة والتركيز عليها ، وبهذا تزيد المهارة والانتاجية .

DMT: Dimensional Motion Time اختصار : وَقْتُ الحَرَكَة البُعْدِيّة

(انظر العبارة في مكانها) .

Docket صَحيفَةُ البَيَان

تستعمل الكلمة عادة لوصف اية بطاقة او استمارة او رقعة او قسيمة ، وتطلق بشكل عام على بطاقات الصناديق واستمارات الطلب المستعملة في المخازن وبطاقات تسجيل الوقت وغير ذلك .

Double Entry القَيْدُ المُزْدَوِج

نظام مسك الدفاتر الذي يعكس ثنائية حركات الاقيام (اي ان يقوم شخص واحد بالتسلم وآخر بالصرف) . وهذا يستوجب تسجيل كل معاملة مرتين .

Down Time وَقْتُ التَعْطِيل

الوقت الذي لا تعمل اثناءه الآلة او الموظف بصورة منتجة بسبب خلل ميكانيكي او اعمال الصيانة او انتظار المواد او تعديل الآلات او غير ذلك .

Dumping **الإغْرَاق**

بيع السلع في الخارج باسعار اقل من اسعارها العادية في مكان المنشأ بقصد مواجهة المنافسة او التخلص من بضائع فائضة .

Dynamic Evaluation **التَقْييمُ الدِينَاميكيّ**

طريقة للتحليل الاحصائي تطبق على متغيرات معينة تؤثر في الاداء (كتشغيل المعمل او خدمته او ادارته) وتُعنى (أ) بكمية التغيّر في الاداء و (ب) بنسبة التغيير في الاداء و (ج) بتغير نسبة التغير في الاداء . وهي تبين الوضع الحالي والطريقة التي تم الوصول بها الى هذا الوضع ، والوضع المحتمل في المستقبل (عن طريق التقدير الاستقرائي) .

Dynamic Programming **وَضْعُ البَرامِج دِينَاميكيّاً**

طَريقة اجراء الابحاث الخاصة بالاعمال لتسهيل حل المسائل المتتابعة . وهي تستخدم محل المسائل ذات المراحل المتعددة الي تصبح القرارات المتخذة في احدى مراحلها شروطاً تتحكم بالمراحل التالية .

Easy Movement Principles

مَبادِىء الحَرَكةِ السَّهلَة

انظر : MOTION ECONOMY

EBQ: Economic Batch Quantity

اختصار : كَمِيّةُ الدُفعةِ الاقتصَاديّة

انظر : ECONOMIC ORDER QUANTITY

ECGD: Export Credit Guarantee Department

اختصار : دَائِرَةُ ضَمَانِ الاعتماد الخاصّ بالتَصْدِير

فرع من وزارة التجارة يعطي تأميناً ضد عدم دفع اثمان البضائع المصدرة الى الخارج .

Econometrics

رِيَاضيّات الإقتِصَاد

١. تحليل الظواهر الاقتصادية وصياغة الفرضيات الاقتصادية بعبارات رياضية بحيث يمكن اختبارها احصائياً بالملاحظة .

٢. تشكل رياضيات الاقتصاد اساساً لقسم كبير من النظرية الخاصة بابحاث الاعمال . وتستخدم في الدرجة الاولى لإبراز اعتماد العوامل التي تُقرِّرُ التكاليف والاسعار وسواها على بعضها البعض. وللتكهن بمستقبل اعمال المؤسسة والتخطيط للمدى الطويل .

Economic Lot Size

حَجمُ المَجمُوعةِ الإقتصَادِيّة

انظر : ECONOMIC ORDER QUANTITY

Economic Order Quantity; Economic Batch Quantity

كَميةُ الطَلَبِ الإقتِصاديةِ . كَمية الدُفعةِ الاقتصَادِيّة

حجم الكميات والدفعات المطلوب صنعها او شراؤها ، على أن تؤخذ بعين الاعتبار تكاليف انتاجها او الحصول عليها ، والاحتفاظ بها في المخزن . وهناك معادلات كثيرة لتحديد كمية الطلب الاقتصادية ، وبعضها يأخذ في الحساب الحسم الذي يمنح على حجم الكميات وآثار التضخم المالي وتكاليف الاحتفاظ بالمخزونات في مستويات مأمونة وغير ذلك . وفيما يلي احدى هذه المعادلات :

$$ك = \sqrt{\frac{٢٤ \times ت \times م}{ز \times ٦}}$$

45

EDP: Electronic Data Processing

ك = كمية الطلب الاقتصادية

ت = التكلفة المقررة للحصول على السلعة او لانتاجها

م = معدل الطلب للاستعمال الشهري

ز = الزيادة في تكاليف الاحتفاظ بالسلع في المخزن

س = وحدة / سعر / تكلفة السلعة

وتعرف ايضاً بحجم المجموعة الاقتصادية او بكمية الدفعة الاقتصادية .

EDP: Electronic Data Processing — **اختصار : مُعَالَجةُ المُعطياتِ بالآلاتِ الالَكتْرُونِيّة**

انظر : ELECTRONIC DATA PROCESSING

Effectiveness — **الفَعَاليّة**

تحقيق الأهداف الصحيحة من وجهة نظر افضل التفسيرات الممكنة لظروف التجارة وامكانات الربح .

Efficiency — **الكِفَاية**

١. تستعمل الكلمة عموماً للدلالة على فَعَاليّة اداء العمل الصحيح في الوقت والمكان الصحيحين .

٢. تستعمل احياناً كمرادف للانتاجية .

Efficiency Ratio — **نِسبةُ الكِفَاية**

$$\frac{\text{الساعات القياسية للانتاج الفعلي}}{\text{الساعات الفعلية للانتاج الفعلي}} \times \frac{١٠٠}{١}$$

وتستعمل احياناً لوصف الشكل المعكوس للمعادلة المبيّنة اعلاه .

Effort Rating — **تَقدِير الجُهد**

تقييم معدل عمل العامل بالنسبة الى مفهوم المراقب عن معدل التقدير القياسي المقابل له . وقد يأخذ المراقب في حسابه عاملاً او اكثر من العوامل الضرورية لتنفيذ العمل ، مجتمعة او كلا منها على حدة ، كسرعة الحركة والجهد والحذق والثبات .

Eighty-Twenty Rule **قاعِدةُ الثَمانين ـ العِشرين**

هذه قاعدة تجريبية تصف اتجاهاً شائعاً ، خصوصاً في مراقبة البضائع الموجودة في المخزن . وهي تفترض أن ٢٠ في المئة من المخزونات تغطّي حوالي ٨٠ في المئة من مجموع قيمة المخزونات . وتفترض كذلك ، عند تطبيقها على العملاء ، ان نسبة ٢٠ في المئة منهم يعزى اليهم ٨٠ في المئة من مجمل المبيعات . ويمكن تطبيقها ايضاً على الموردين : اي بالقول ان ٢٠ في المئة من الموردين يوردون ٨٠ في المئة من البضائع المشتراة . ان الغرض من قاعدة الثمانين ـ العشرين هذه هو التأكيد على الحاجة الى تركيز رقابة الادارة على نسبة العشرين في المئة التي تعلّل اجمالي الاعمال او القيم . وهذه الفكرة مرتبطة ايضاً ارتباطاً وثيقاً بطريقة الادارة بالاستثناء (انظر : MANAGEMENT BY EXCEPTION) وبالطريقة الالفبائية (انظر : ABC METHOD) وبقانون باريتو (انظر : PARETO'S LAW) .

Elasticity **المُرونَة**

درجة استجابة الطلب او العرض لتغيير في السعر .

Electronic Data Processing **مُعالَجةُ المُعْطَيات بالآلات الالَكْترُونِيّة**

اسلوب لتحليل المعلومات الخاصة باعمال المؤسسة وترتيبها وتسجيلها والابلاغ عنها ، وذلك بواسطة حاسبة الكترونية ومعدات مرتبطة بها . والتعبير مرادف عادة لما يسمى بمعالجة المعطيات اوتوماتيكياً (انظر : AUTOMATIC DATA PROCESSING) واستعماله اكثر شيوعاً في امريكا.

Element **العُنْصُر**

تعبير من تعابير قياس العمل يدل على جزء متميز من عمل معين وقع الاختيار عليه لتسهيل الملاحظة والقياس والتحليل .

EMIP: Equivalent Mean Investment Period **اختصار : مُدةُ الإستِثْمار المُتَوسّط المُتكافِىء**

(انظر التعبير في مكانه)

Emolument **جُعْل**

مكافأة على شكل راتب او اتعاب او علاوة من نوع ما .

Entrepreneur

Entrepreneur **صَاحِبُ المَشْرُوع**

الشخص الذي يقوم بوظائف المشروع الرئيسية ويكون مسؤولاً عن اتخاذ القرارات وتحمل المخاطر .

EOQ: Economic Order Quantity **اختصار : كَمِّيَّةُ الطَّلَب الاقتصَادِيَّة**

(انظر التعبير في مكانه)

Equipment Leasing **تَأجِيرُ المُعَدَّات**

طريقة لشراء حق استعمال الآلات او المعدات دون اللّجوء الى الرأسمال الموجود او الى الحصول على رأسمال جديد ، وذلك خلال فترة من الزمن تكون محدودة وطويلة نسبياً ، وعادة طوَال الحياة النافعة لتلك الآلات والمعدات .

Equity **أسْهُمُ رَأسِ المالْ. حُقوقُ المُسَاهِمِين**

١. الاسهم العادية او الاسهم المؤجلة الارباح التي يحق لاصحابها الحصول على حصة في الارباح المتخلفة الباقية بعد دفع جميع حصص الارباح ذات النسب الثابتة .

٢. رأسمال المساهمين العاديين ، اي اموال المساهمين العاديين زائداً المبالغ الاحتياطية .

Equivalent Mean Investment Period **مُدَّةُ الإستثمارِ المُتَوسِّط المُتكافِىء**

طريقة لتقييم المصروفات الرأسمالية ومشاريع الابحاث والتنمية ، والغرض منها فحص نسبة استهلاك الاستثمار محسوبة مقابل النسبة التي يجري بها الاستثمار نفسه .

Ergonometrics **قِياسُ الشُغْل**

انظر WORK MEASUREMENT

Ergonomics **عِلمُ دِراسة الطّاقَات**

دراسة قدرات الانسان وحدوده في تأدية العمل العقلي والجسدي الذي يكلّف القيام به في بيئات مختلفة . وفي حقل الصناعة ، يُعنى علم دراسة الطاقات بتطبيق المعارف الخاصة بعلم التشريح وعلم الوظائف وعلم النفس لتحسين فعّاليّة الفرد وزيادة رفاهيته عن طريق تصميم البيئة واعدادها ومراقبتها بعناية ودقة . ويعرف ايضاً بالهندسة البشرية (اصطلاح امريكي) .

Exponential Smoothing

Evaluate **يُقَيِّم**

يقدّر . يعبّر عن شيء بالارقام .

EVOP: Evaluation and Optimization **التَقْدِيرُ الأمْثَل**

اجراء منهجي لتحسين النوعية ولتخفيض التبديد وزيادة الانتاجية . وينطوي هذا الاجراء على ادخال تغييرات صغيرة بصورة رتيبة على المستويات التي يحتفظ فيها بمتغيرات عملية الصنع . وبعد كل طائفة من التغييرات تراجع نتائجها على النوعية والتبديد والانتاجية . والهدف من هذا هو التوصل الى الحل الامثل نتيجة لاجراء تعديلات ذات متغيرات كثيرة .

Execute **يُنَفِّذ**

يجعل شيئاً نافذ المفعول . يواصل امراً حتى النهاية .

Executive **مُوَظَّفٌ تَنْفِيذِيّ**

١. كثيراً ما يكون التعبير مرادفاً لكلمة مدير .

٢. اي شخص (او هيئة اعتبارية) يقوم بعمل اداري ينطوي على تخطيط وعلى شيء كثير من حرية التصرف فيما يتعلق بالكيفية والطريقة اللتين سينجز بهما ذلك العمل .

٣. اي عضو في المؤسسة تشمل واجباته ، على الاقل ، بدء عمل المرؤوسين ومراقبته .

Executive Director **المُدِيرُ التَنْفِيذِيّ .**

تستعمل العبارة عادة لوصف مدير عامل او متفرغ يكون في الوقت نفسه عضواً في مجلس الادارة وموظفاً تنفيذياً كبيراً مسؤولاً ، في اكثر الاحيان ، عن مهمة او منطقة رئيسية . ويرى البعض أن العبارة غير ملائمة للاستعمال ، لان الكلمتين اللتين تتكون منهما توحيان بدورين مختلفين اختلافاً جوهرياً .

Exponential Smoothing **التَسْوِيَةُ الأسِّيَّة**

تعبير احصائي لنوع من انواع المعدل المرجّح المتحرك، ميزته أن التقدير الجديد للمعدل يجري تحديثه بصورة دورية كالمجموع المرجّح كما يلي : (١) الطلب في الفترة الممتدة منذ المراجعة الاخيرة و (٢) المعدل القديم . ويمكن استخدامه للتكهن بحجم المبيعات وغير ذلك .

Factor وَكيلٌ تِجاريّ

١. شخص يقرض مالاً بفائدة تحسب كنسبة مئوية من قيمة الحسابات المدينة ، او قد يشتري ديون الحسابات المدينة دفعة واحدة .

٢. وكيل لديه تفويض ببيع البضائع لحساب موكله وبقبض اثمانها . وفي العادة يفهم من عمله ضمناً انه يتعامل بالبضائع دون القيام عملياً بمناولتها مناولة مادية .

Factor Comparison Method أسْلوبُ مُقارَنة العَوامِل

طريقة لتقدير الوظائف تعرّف بموجبها الوظائف وتقيّم بالنسبة الى عوامل قليلة مشتركة . فالوظائف الرئيسية التي تعتبر الاجور المخصصة لها مرتبطة ببعضها البعض ارتباطاً عادلاً تحلّل بالنسبة الى عوامل تلك الوظائف وتقرّر القيمة النقدية لكل عامل منها بمقارنة متطلباته بمتطلبات الوظائف الرئيسية التي قررت قيمها النقدية .

Factoring بَيْعُ الدُيوْن

وظيفة مالية متخصصة يبيع عن طريقها المنتجون والبائعون بالجملة والبائعون بالمفرق حساباتهم المدينة الى مؤسسات مالية ، بما في ذلك الوكلاء التجاريون والبنوك .

Factors of Production عَوامِلُ الإنتاج

الموارد اللاّزمة للانتاج . لم يعترف الاقتصاديون الاوائل الاّ بثلاثة عوامل للانتاج وهي الارض والعمل والرأسمال . وفي اواخر القرن التاسع عشر ، اضيف الى هذه العوامل عامل رابع وهو عامل التنظيم او الادارة .

FAST: Functional Analysis System Technique اختصار : طَريقَةُ نِظامِ التَحليلِ الوَظيْفِي

انظر : VALUE ENGINEERING

Feasibility Study دِراسَةُ الجَدْوَى

تحليل الاجراءات الحسابية او الاجراءات الكتابية الاخرى لتقدير مناسبة تحويل عملية ما الى عملية تنجز بالحاسبة الآلية . وتستعمل هذه الدراسة ايضاً لاجراء اي تحليل منهجيّ تشخيصيّ يؤدي الى اختيار المُعدّات والمستنبطات التكنولوجية الاخرى .

Feature Cards

بِطَاقَاتُ الخَوَاصّ

بطاقات مثقّبة تقارن فيها مواضع مثقبة على بطاقتين او اكثر بالنظر عن طريق وضع البطاقة الواحدة فوق الاخرى ، فاذا اشتركت البطاقات بخاصة معينة تطابقت الثقوب التي فيها بحيث سمح للضوء بالمرور فيها . وهذه المواضع « المنيرة » تبيّن الخواصّ المشتركة بين بطاقتين او اكثر . ويستخدم هذا النظام في وضع الفهارس واستقاء المعلومات . وتعرف هذه البطاقات ايضاً ببطاقات « الوصوصة » .

Feedback

التَّغْذِيَةُ المُرْتَدَّة

معلومات مستخلصة من عملية او حالة تستخدم في مراقبة المعلومات التي تلقن مباشرة او في المستقبل (القرارات) او التخطيط لها او تعديلها بشكل يتلاءم مع العملية او الحالة .

FICS: Forecasting and Inventory Control System

اختصار : نِظَامُ مُراقبةِ التَكَهُّنَاتِ والبَضَائعِ الموجودة

نظر التعبير في مكانه

Field Sales Manager

مُدِيرُ المَبيعَاتِ في الأَسْواق

موظف تنفيذيّ مسؤول عن مراقبة اعمال الموظفين الذين يقومون بالبيع في الاسواق (خارج المكتب) .

FIFO: First In, First Out

اختصار : البَضَاعةُ الدَّاخلةُ اوّلاً تُصرَفُ اوَّلاً

طريقة لتقييم المخزونات (البضائع الموجودة) وتكاليف المبيعات يثمن بموجبها كل بند من بنود البضائع المخزونة على حدة حسب تكاليف آخر بضاعة تمّ الحصول عليها ، على ان تثمن البضائع المبيعة او المستعملة حسب تكاليف اول بضاعة تمّ الحصول عليها . وبموجب هذه الطريقة يفترض ان تكون البضائع المشتراة او المنتجة اولاً هي ايضاً البضائع التي تباع اولاً . ولهذا فان تكاليف البضائع المبيعة او المستعملة لا تكون حسب الاسعار الجارية ولكن حسب الاسعار التي كانت سائدة في تاريخ سابق ، بينما تكون تكاليف البضائع الباقية في المخازن حسب الاسعار الجارية .

(انظر ايضاً LIFO) .

51

Figureless Accounts **حِسابَاتٌ بِدونْ أرْقَام**

نظام للمعلومات الخاصة بالادارة يسجّل بموجبه الاداء او التقدم او الربح برمزي زائد (+) او ناقص (—) بالنسبة الى معايير مقررة سلفاً دون ان تستعمل فيه ارقام تفصيلية .

File Posting **قَيْدُ المَلَفّات**

انظر : LEDGERLESS ACCOUNTING

Film Analysis **تَحليلُ الأفلاَم**

يعني التعبير في دراسة الاعمال فحص فلم سينمائي لعملية من العمليات فحصاً مفصلاً يجري عادة بدراسة كل صورة من الفلم على حدة .

Financial Ratios **النِسبُ المَاليّة**

العلاقة الكمّية بين اي بندين مختارين من المعطيات المالية او الخاصة بالعمل ، كنسبة تكاليف التسويق الى المبيعات ، او الى المبيعات لكل قدم مربع من المساحة المخصصة للبيع . وتوفر هذه النسب الارشادات الخاصة بفعالية التشغيل وهي تفيد في تكملة المعلومات الحسابية العادية الخاصة بالادارة . امثلة على ذلك : نسبة تكاليف الابحاث والتنمية الى المبيعات ، ونسبة ارباح التشغيل الى المبيعات ، ونسبة تكاليف الانتاج الى مجموع التكاليف ، ونسبة الاصول الحالية الى مجموع الاصول الصّافية . انظر ايضا : MANAGEMENT RATIOS

First Cost **التَكْلِفَةُ الأوْلى**

انظر : PRIME COST

First In, First Out **البِضَاعَةُ الدّاخِلَةُ أوّلاً تُصْرَفُ أوّلاً**

انظر : FIFO

First-Line Manager **مُدِيرُ الصفِ الأوّل**

مدير في ادنى مستوى من مستويات الادارة في المؤسسة ، كملاحظ الاشغال او رئيس الشعبة او المشرف . انظر ايضاً : FOREMAN

Fixed Asset **الأصْولُ الثّابتَة**

الاصول التي يحتفظ بها على شكل مُعدات او منشآت دائمة او ارض او مبان ، والتي تنتج وتقدم البضائع او الخدمات بواسطتها . ويحتفظ بالاصول الثابتة لفرض استعمالها او لتحقيق دخل منها ، لا لبيعها او لتحويلها الى نقد . واحياناً تعتبر الاصول غير المادية ايضاً ، كشهرة المحل والبراءات ، اصولاً ثابتة . وهي تعرف ايضاً بالاصول الرأسمالية .

Fixed Cost **التكْلِفَةُ الثّابتَة**

التكاليف التي لا تتأثر بالتغييرات التي تموت في حجم الانتاج ، مثال على ذلك : الفائدة على الرأسمال المستدان واقساط التأمين ضد الحريق والايجار والنفقات الرأسمالية والرواتب وغير ذلك . وتعرف ايضاً بالتكلفة غير المباشرة وتكلفة المدة (اصطلاح امريكي) .

Flannel Board **لَوْحُ فانَلّة**

وسيلة ايضاح بصرية تتألف من شاشة مغطاة بالقماش توضع عليها الرموز والحروف وغير ذلك لتلتصق بها عن طريق التوتر السطحيّ .

Flexible Budget **الميزانِيّة المَرِنة**

ان الميزانيات المرنة ، وهي تقترن عادة بالتقدير القياسي للتكاليف ، تدخل في الحساب وتُخصّص تكاليفَ ونفقات قياسيةً على مستويات مختلفة من الانتاج . وتحتوي هذه الميزانيات على سلسلة من الارقام القياسيةً بدلاً من مجموعة واحدة من الارقام . وهي مرنة لان من الممكن ان تُوضع عن طريقها مستويات مناسبة للتكاليف على ضوء المستويات المتحققة للانتاج او المبيعات .

Floating Asset **الأصْلُ المُتَداوَلُ**

انظر : CURRENT ASSET

Floating Charge **تَكليفٌ عامّ**

رهن يشمل عدداً كبيراً من الاصول لضمان القرض

Flow Chart

Flow Chart **رَسْمٌ بَيَانيّ لِسَير الأعمال**

١. كثيراً ما يكون مرادفاً لعبارة: FLOW DIAGRAM او عبارة : FLOW PROCESS CHART (انظر العبارتين).

٢. يعني التعبير عادة ، عند تطبيقه على انظمة المكاتب ، رسماً او تمثيلاً تخطيطياً لتسلسل العمليات كخطوة تمهيدية لاعداد برنامج عنها للحاسبة الآلية .

Flow Diagram **رَسْم الأعمال التَخْطيطيّ**

تعبير خاص بدراسة العمل لوصف رسم تخطيطيّ او نموذج ، يعدّ حسب مقياس فعليّ ويبين مواقع اعمال معيّنة يجري تنفيذها والطرق التي يسلكها العمال والمواد والمعدات في تنفيذ تلك الاعمال . وهو يعرف ايضاً برسم الطرق التخطيطيّ او الرسم البيانيّ لسير الاعمال .

Flow Line **خطّ الحَرَكَة**

الطريق الذي تسلكه المواد في المصنع اثناء صنع المنتجات او تركيبها . انظر ايضاً : FLOW PRODUCTION

Flow Process Chart **رَسْمٌ بيَانيّ لحركة العَمليّات**

رسم بيانيٌّ خاص بدراسة العمل يبيّن تسلسل حركة سلعة او اجراء ما بتسجيل جميع الاحداث عن طريق استخدام الرموز المناسبة الخاصة برسم العمليات البيانيّ . ويظهر الرسم البياني جميع العمليات واعمال النقل والتفتيش وحوادث التأخير وعمليات التخزين ، وكثيراً ما يشمل معلومات معيّنة ، كالوقت المطلوب والمسافة التي قطعت .

الرّسم البياني الخاص بالايدي العاملة : يسجّل فيه ما يفعله العامل

الرّسم البياني الخاص بالموادّ : يسجّل فيه ما يحدث للموادّ

الرّسم البياني الخاص بالمُعدات : تسجّل فيه كيفية استعمال المُعدات

انظر ايضا : PROCESS CHART SYMBOLS

Flow Production **الإنتاج الإنْسِيابيّ**

بديل لتعبير الانتاج بالجملة . وهو يستخدم حيثما يوجد انتاج كبير من سلعة معيّنة تمرّ او « تنساب » خلال سلسلة من الآلات الواحدة بعد الاخرى ، وتكون كل آلة منها مسؤولة عن

Formula Translation

عملية صغيرة جداً فقط ، على ان يطبق في هذه العمليات تقسيم العمل بدرجة عالية من الكفاءة .

Flyback Timing — التَوْقِيتُ الإرْتِدَادِيّ

اسلوب للدراسة خاص بتوقيت العمل ، يرجع فيه عقربا ساعة الوقف الى الصفر في نهاية كل عنصر من عناصر العمل ، ثم يتركان ليبدأ حركتهما في الحال . وبذلك يعرف بصورة مباشرة الوقت الذي استغرقه ذلك العنصر . وهو يعرف ايضاً بالتوقيت السّريع .

Forecasting — التَنَبَّوء

تقدير او حساب التطورات في المستقبل او نتيجة التخطيط المرتقبة . وتشمل اساليب التنبوء استخدام المعدلات المتحركة او المرَجحة وتحليل حالات التراجع .

Forecasting and Inventory Control System (FICS) — نظام الرقابة على التنبؤات والبضائع الموجودة

نظام خاص بوضع برامج الحاسبة الآلية يستخدم التسوية الاسمية EXPONENTIAL SMOOTHING (انظر العبارة في مكانها) .

Foreman — مُلَاحِظْ عُمّال

١. مدير الصف الاول في مستوى الاعمال .

٢. عضو في الادارة مسؤول عن غرفة او فرع او دائرة او وحدة . ولديه صلاحية الاشراف على عمل الذين يشكلون القوى العاملة في الوحدة المعيّنة .

٣. شخص مضطلع بالمسؤولية عن الاعمال ولكنه لا يتمتع الاّ بحرية محدودة في تصرفه فيما يتعلق بالتخطيط واتخاذ القرارات .

Forms Control — مُراقبةُ الاستمارات

المراجعة المنهجية لاصدار وتصميم واستعمال الاستمارات او اصناف القرطاسية القياسية الاخرى داخل المؤسسة .

Formula Translation — تَرجَمَةُ المُعَادَلَات

انظر : FORTRAN

FORTRAN

FORTRAN **اختصار : تَرجَمَةُ المُعَادَلات**

رمز للاستعمال الاوتوماتيكي في الحاسبة الآلية او لغة جبرية لتمثيل المعطيات الهندسية والعلميُة للحاسبة الآلية بشكل من اشكال التدوين الرياضيّ ، وهي المقابل لعبارة COBOL (انظرها في مكانها) .

Franchise **إمْتِيَاز**

١. امتياز ينشأ عن منح حق من الحقوق .

٢. ترخيص يخول صاحبه حق تسويق سلعة او خدمة حسب مواصفات وشروط مرتبة سلفاً . ويدفع صاحب الامتياز عادة رسماً معيناً في البداية ثم ريعاً بعد ذلك . وقد يمنح الامتياز الى وكيل يتفرد بموجبه بحق البيع في منطقة معيّنة .

Franchise House **بَيْتُ الامتِيَازَات**

تعبير امريكي يصف مؤسسة اعمال متخصصة بتأسيس المشاريع للناس وتقديم النصح بشأن الطرق الجيدة لتجارة البيع بالمفرق والارشاد فيما يتعلق برؤوس الاموال وترويج البضائع وعرضها . ويحصل بيت الامتيازات على نسبة مئوية من الأرباح ، او يسدّد له الرأسمال الذي اقرضه مع فائدته .

Free Stock **بَضَائِع حُرّة**

بضائع جاهزة للصرف ، اي غير مخصصة لاي طلب معين للصنع او البيع .

Frequency Distribution **تَوَاتُر التَوزِيْع**

تصنيف المعطيات الاحصائية الى فئات من الاصناف حسب الحجم او المقدار ، مع ذكر عدد البنود (التواتر) في كل فئة منها . ويعرف تواتر التوزيع ، عند عرضه بصورة تخطيطية ، بمخطط توزيع التواتر . (انظر HISTOGRAM) .

Fringe Benefit **مَزيّة إضافيّة**

مزية يحصل عليها الموظفون عيناً او على شكل خدمة ، ويتحمل صاحب العمل تكاليفها . وتتفاوت المزايا الاضافية تفاوتاً كبيراً من حيث معناها ، فهي تشمل على وجه العموم مشاريع المشاركة في الارباح ومكافآت الجدارة ومشاريع التقاعد ومشاريع التأمين والمعالجة الطبية

Funding a Loan

واجور ايام المرض والعطل العامة وغير ذلك . وتستعمل العبارة احياناً بصورة عامة لتشمل ايضاً المبالغ التي تدفع عن الوقت الاضافيّ والمكافآت .

Functional Analysis — **التَحليِلُ الوَظِيفيّ**

انظر : VALUE ENGINEERING

Functional Relations — **العَلاقَاتُ الوَظِيفيّة**

العلاقات الرسمية التي تنشأ داخل الهيكل التنظيميّ عن وضع نماذج من تفويض السلطات تشمل كلا خطّي المسؤوليات التنفيذية ومجالاً واحداً او اكثر من مجالات المسؤوليات الوظيفية (انظر FUNCTIONAL RESPONSIBILITIES) .

Functional Responsibilities — **المَسؤُولِيّات الوَظِيفيّة**

مسؤولياتُ الإخصَائيين (في الادارة) التي ترتكز على اساس المعرفة المقترنة بالخبرة والتي تستوجب ان يستشار الموظف الإخصائي قبل اتخاذ القرارات التي لها علاقة بوظيفته وأن يقدم خدماته للمديرين الآخرين في المؤسسة كمستشار خبير في السياسة والاساليب المتعلقة باختصاصه.

Functions — **الوَظَائِفُ**

تعبير مستعمل على نطاق واسع ، ويعني مجالاً او وجهاً من اوجه النشاط (في الادارة) يضطلع الموظف التنفيذي بالنسبة اليه بمسؤولية كبيرة عن طريق تفويضها اليه (انظر DELEGATION) .

Funding a Loan — **إستِدانةُ لِتَسْدِيدِ القَرْض**

ابدال قرض بقرض آخر له تاريخ استحقاق او سعر فائدة مختلف عن تاريخ او سعر فائدة القرض المسدّد .

Game Theory

نَظَرِيَةُ الأَلْعَابِ

فرع من فروع التحليل الرياضيّ او ابحاث الاعمال يُعنى بنماذج النزاع الذي يقوم بين متنافسين او اكثر حسب قواعد معيّنة. وتنطوي النظرية على وضع إستراتيجية خاصة باتخاذ القرارات. ويفترض أن يكون هدف اللعبة تحقيق اكبر مردود وتخفيض الخسائر الى ادنى حد. ويمكن تطبيق نظرية الالعاب على اي مجال من مجالات العمل يلزم فيه التخطيط لاستراتيجية المنافسة مع الآخرين. مثال على ذلك : تخطيط إستراتيجية التّسويق.

Gantt Chart

رَسْمُ غَانْتَ البَيَانِيّ

طريقة تخطيطية (تتخذ عادة شكل قضبان افقية) تستخدم لتسهيل وضع الجداول الزمنية والمراقبة بصورة فعّالة لمختلف نواحي الانتاج. وقد سميت هذه الطريقة باسم مبتكرها المهندس الامريكي هنري جانت. وتستعمل رسوم غانت البيانية لاظهار العلاقة بين الاداء المخطط والاداء الفعليّ، ويكون ذلك عادة خلال فترات زمنية متعاقبة.

Gaussian Curve

مُنْحَنَى غَاوِسِيّ

منحنى التّوزيع « العادي » الذي تبيّن بالخبرة أنه يصور تصويراً تقريبياً التوزيع الذي يعكس التجربة العادية الفعلية عند تحليل الظواهر الطبيعية والصناعية لدى مجموعة كبيرة من السكان. ويكون هذا المنحنى متماثلاً او على شكل جرس.

GCA: Group Capacity Assessment

اختصار : تَقْدِيرُ طَاقَةِ المَجْمُوعَات

انظر التعبير في مكانه.

Gearing

التَّعْدِيل

يستعمل التعبير لوصف تكوين رأسمال الشركة المحدودة وللدلالة على نسبة الرأسمال (السندات والاسهم الممتازة والاسهم العادية) الذي يشكل مجموع حقوق الشركة. ويقال عن التعديل إنه « عال » اذا كانت الفائدة (وهي تكاليف سابقة) على السندات المصدرة والاسهم الممتازة تمتصّ نسبة كبيرة من المكاسب قبل توافر أية مبالغ لدفعها الى المساهمين العاديين.

Goodwill

المُعْطَيات المُتَعَدِّدة الأغْراض **General Purpose Data (GPD)**

طريقة لدراسة وقت الحركة المقرر سلفاً ، استنبطتها الجمعية الامريكية لقياس وقت الحركة .

اختصار : الطَرِيقة التخْطيطية للتقدير والمراجعة **GERT: Graphical Evaluation and Review Technique**

(انظر التعبير في مكانه)

رُمُوزُ جِلْبَرتْ **Gilbreth Symbols**

رموز لدراسة العمل وضعها ف.ب. ول.م. جلبرت لتسجيل طبيعة الاحداث في رسم بيانيّ لسير العمليات . انظر PROCESS CHART SYMBOLS و THERBLIG .

مَشْرُوعُ جلاَشر **Glacier Project**

بحث اجراه البرفسور اليوت جاك على عدد من المسائل الادارية في شركة جلاشر (GLACIER METAL CO.) . وقد شملت المواضيع التي بحثت طرق الدفع وقياس المسؤوليات . ويتخذ هذا العمل أساساً لتعليم الادارة في معهد جلاشر للادارة الواقع بالقرب من لندن .

شُهْرَةُ المَحَلّ **Goodwill**

الزيادة في قيمة المؤسسة على صافي ثمنها ، اي الاصول ناقصاً الالتزامات ناقصاً اسهم الرأسمال الممتازة . ان وجود زيادة كهذه يعني ضمناً أن بعض عناصر القيمة ، كالموقع الجغرافيّ والقدرات الاحتكارية والخبرة الفنية وغير ذلك ، قد حذف من صافي الثمن . وبما أن من الصَّعب جداً وضع اسعار لهذه العناصر ، فانها كثيراً ما تستبعد من الميزانيات العمومية ، ولكن عند بيع المؤسسة يجب ضمها الى السعر بحيث تظهر شهرة المحل بصورة عامة . ويتم التوصل الى معرفة قيمة شهرة المحل بطريقة حسابية تعرف باسم دمج الارباح الزائدة في الرأسمال حيث تعتبر زيادة الربح المتوقع على الربح « العادي » فائدة بنسبة متفق عليها تحسب على القيمة الرأسمالية لشهرة المحل . مثال على ذلك :

	جنيه استرليني	
الربح المتوقع	٥٠ ٠٠٠	
الربح العاديّ	٣٠ ٠٠٠	
الربح الزائد	٢٠ ٠٠٠	
النسبة المتفق عليها ٢٠ في المئة في السنة	٢٠ ٠٠٠ =	١٠٠ ٠٠٠
قيمة شهرة المحل	٢٠ في المئة	

ونظراً لان هذا الربح الزائد عرضة للمخاطر ، فان من العادة الاعتراف بنفاده تدريجياً في مدى يتراوح بين ثلاث وخمس سنوات ، وذلك بتخصيص ارباح كافية لشطبه خلال هذه المدة .

GPD: General Purpose Data

اختصار : المُعْطَيَاتُ المُتَعَدِّدَةُ الأغْراض

(انظر التعبير في مكانه) .

Graphical Evaluation and Review Technique (GERT)

الطَريقَةُ التَخْطيطيَةُ للتَقْديرِ والمُراجَعَة

طريقة لتحليل الشبكات ذات الخاصيات العشوائية والمنطقية .

Gross Profit Margin

حَدّ الرِبح الإجماليّ

الرّبح الناشيء عن المتاجرة قبل حسم الاستهلاك كنسبة مئوية من مجمل المَبيعَات .

Group Capacity Assessment (GCA)

تَقْديرُ طَاقَةِ المَجْموعات

اسلوب لتخطيط تكاليف الرواتب غير المباشرة ومراقبتها . وفي هذا الاسلوب المبنيّ على طرق قياس العمل ، تستخدم طريقة اخذ عينات العمل والمعطيات الخاصة بالاوقات القياسية وطرق اخرى في مراجعة شاملة لتوزيع الموظفين الكتابيين والاداريين والموظفين الآخرين غير المباشرين .

Group Depreciation Method

أسْلوُب الإستِهلاكِ بالمَجموعَة

انظر : MULTIPLE ASSET DEPRECIATION ACCOUNTING

Group Dynamics

الدينَاميكيّة الجَماعية

حقل من حقول ابحاث العلوم الاجتماعية يُعنى بسلوك الجماعة . وتهتم الديناميكية الجماعية بفحص العلاقات المعقدة القائمة بين افراد جماعة ما وتأثير هذه العلاقات في فعَاليّة الجماعة بالنسبة الى أداء العمل . ووفقاً للديناميكية الجماعية ، يفحص تكوين الجماعة الجذري والاتصال والتماسك بين افرادها والمقاييس والاجراءات والاهداف والقيادات التي لديهم . وهي تعرف ايضاً باسم METHECTICS .

Group Incentives **التَشْجيعَات الجَماعية**

خطط تشجيعية مبنية على اساس الاداء الجماعيّ بدلاً من الاداء الفرديّ . انظر : LINCOLN INCENTIVE SCHEMES و RUCKER و SCANLON كأمثلة مفصلة .

Group Technology **تكنُولُوجية المَجموعَات**

تجميع اجزاء متشابهة للحصول على تصنيع ومعالجة متعاقبة اكثر فعالية ، وذلك بترتيب مجموعات الادوات الآلية بطريقة يمكن معها تحقيق شكل من اشكال انسياب العمل في انتاج متسلسل .

Group Timing Technique **طَريقةُ تَوقيتِ المَجموعَات**

طريقة لقياس العمل في اوجه النشاط المتعددة تمكّن المراقب باستعماله ساعة الوقف من اجراء دراسة مفصلة للوقت على عدد من الاشخاص و/او الآلات في الوقت نفسه .

Group Training **التَدريبُ الجَماعيّ**

ترتيب لتقديم الخدمات والتسهيلات الاستشارية في تطوير وتطبيق التدريب لمجموعة من الشركات في مجال او حقل معين من حقول النشاط . ويتم المشروع عادة بتأسيس رابطة للتدريب الجماعيّ تملكها الشركات فيما بينها .

Halsey Incentive
خِطَّةُ هَالْسِي التَّشْجِيعِيَّةُ

خطة تشجيعية خاصة بالاجور ابتكرها ف. أ. هالسي في عام ١٨٩١ في الولايات المتحدة . وقد كانت هذه اول خطة تشجيعية لتحسين النظام العاديّ للعمل بالقطعة . وبموجب خطة هالسي ، يكافأ الموظف على الانتاج الاضافيّ بدفع مكافأة له تحسب على اساس سعر القطعة (كأنْ يدفع له مثلاً ٥٠ في المئة من قيمة الوقت الموفر) بالاضافة الى اجرته العادية المضمونة التي يتقاضاها في الساعة .

Hard Selling
البَيْعُ الصَّعْبُ

البيع بشروط قاسية وملحّة ، وهو يجري على العموم حسب توصيات صارمة تتناول مواصفات محدّدة للسلعة . وكثيراً ما يستعمل التعبير مجازاً للدلالة على ظروف السوق الصعبة التي تستدعي بذل اقصى الجهود في الترويج للمبيعات .

Hardware
الوَسَائِلُ المَادِّيَّةُ

الآلات والمعدات التي تؤلف نظام معالجة المعطيات . ويستعمل التعبير في الدرجة الاولى للتمييز بين الوسائل المادية والاجراءات التي يدخلها مستخدم هذه الوسائل فيما بعد ، كوضع البرامج وغير ذلك ، مما يعرف بالوسائل غير المادية . (انظر : SOFTWARE) .

Hawthorne Experiments
تجارب هوثورن

سلسلة من التجارب في علم النفس الصّناعيّ اجراها ألتون مايو في شركة وسترن الكترك في شيكاغو بين عام ١٩٢٧ و ١٩٣٢ . وقد شكّكت نتائج هذه الدراسات في طبيعة العمل وعناصر حفز العامل ، فبينت أن الاجر وحده ليس القوة الحافزة الوحيدة وأن المواقف الفردية تلعب دوراً رئيسياً في انماط معيّنة من السلوك الجماعي ، كما دلّت على اهمية دور رئيس العمل في المحافظة على الانتاجية والروح المعنوية . وقد بينت التجارب ايضاً ان ظروف العمل المادية وساعات العمل وغير ذلك يمكن ان تلعب في احيان كثيرة دوراً بسيطاً نسبياً في الاسهام في قناعة الموظف في العمل .

Heuristics
الوَسِيلَةُ التَّنْقِيبِيَّةُ

طريقة للمساعدة على اتخاذ القرارات تستبعد كثيراً من طرق العمل البديلة في اول الامر مبقية منها عدداً قليلاً فقط قيد الدرس لايجاد الحل الامثل .

Histogram **مُخَطَّطُ تَوزِيعِ التَواتُر**

مخطط يبيّن العلاقة القائمة بين مقدار قياس ما وتكرار حدوثه ، ويرسم بحيث تجعل المسافة داخل المخطط مساوية للتكرار .

Historical Costing **حِسَابُ التكاليفِ المُتَأخِّر**

التحقق من التكاليف وتسجيلها بعد تكبدها ، او كلا الامرين معاً .

Holding Company **الشَرِكَة القَابِضة**

شركة يمكن اعتبارها مسيطرة على شركة اخرى بفضل اكثرية الاسهم الممثلة للاصوات التي تملكها في تلك الشركة ، او بفضل سلطتها على تعيين اكثرية الأعضاء لمجلس ادارة تلك الشركة . وتعرف ايضاً بالشركة المسيطرة .

Homeostasis **الاستِقرارُ الدَاخِلِيّ**

عملية المحافظة على خاصة او حالة معيّنة ، بصورة مطّردة ، في وجه المضايقات والمؤثرات الخارجيّة القائمة في وضع نموذجيّ او تجريبيّ .

Horizontal Integration **التَكَامُلُ الأُفُقِيّ**

توسيع عمل الشركة بالدمج او بانشاء مرافق اضافية لتغطية الزيادة في حجم الاعمال في احد المجالات التي تعمل فيها الشركة حالياً . انظر ايضاً AMALGAMATION .

House Style **سِمَةُ الشَرِكَة**

التصميم او الرّمز اللّذان يستعملان حيثما يظهر اسم الشركة ، على القرطاسية مثلاً او على شاحنات البضائع او في الاعلانات او غير ذلك .

Human Engineering **الهَنْدَسَة البَشَرِيّة**

انظر : ERGONOMICS

Human Relations العلاقاتُ الإنْسانِية

حقل من حقول المجهود والبحث الاداريين يُعنى بالعلاقات الاجتماعية والسيكولوجية بين الناس اثناء العمل. انظر ايضاً : PERSONNEL MANAGEMENT و COMMUNICATION .

Hungarian Method الطَريقة الهِنْغَاريّة

طريقة مبنية على اساس نظرية ابتكرها العالم الرياضيّ الهنغاريّ كونيغ ، وتعني هذه الطريقة الخاصة بابحاث الاعمال حساب الحل الامثل لمسألة تتعلق بمهمة من مهمات العمل او بالنقل .

IDP: Integrated Data Processing اختصار: مَعالجَةُ المُعْطَيات المُتَكاملَة

(انظر العبارة في مكانها) .

IFC انظر INTERFIRM COMPARISON

ILO: International Labor Office اختصار : مَكتَبُ العَملِ الدَوْليّ

(انظر العبارة في مكانها) .

Image الصُوْرَة

الانطباع العام الذي يكوّنه ويحفظه عن الشركة موظفوها العاملون فيها او افراد الجمهور عموماً والذي يبنونه على اساس الطريقة التي تعرض فيها اعمال الشركة وعلى السمعة التي تتمتع بها منتجاتها .

IMP: Improving Management Performance اختصار : تَحْسين الأداء الإداريّ

(انظر العبارة في مكانها) .

IMPACT: Integrated Management Planning and Control Technique اختصار طَريقَة التَخْطيط والمُراقبَةِ المُتَكامِلين في الإدَارة

طريقة من طرق التحليل الشبكيّ .

Imprest System نِظامُ السُلفَةِ المُستَديمَة

طريقة لمسك حساب النثريات النقدية يحتفظ بموجبها بمبلغ معيّن من المال لتدفع منه المصروفات النقدية النثرية . وفي نهاية الشهر او اية فترة اخرى ، يسحب شك بالمبلغ الصحيح الذي انفق لتغطية السلفة ، اي المبلغ الاصلي .

Improving Management Performance تَحْسين الأداء الإدَاريّ

برنامج للتطوير المنهجي خاص بالتدريب على الادارة يعتمد على تفويض المسؤولية الادارية بالاضافة الى بذل الجهود المباشرة لتحقيق اهداف الاداء المقررة على النحو الملائم . انظر ايضاً : MANAGEMENT BY OBJECTIVES

Incentive Scheme

Incentive Scheme **خِطَّة تَشْجِيعِيَّة**

١. نظام للمكافأة يتوقف فيه المبلغ المكتسب على مستويات الاداء او على النتائج المتحققة . والهدف منه رفع الانتاجية والاداء الى مستوى قياسي ، في حالة العمل الذي يمكن قياسه ، أو الى مستوى معين في الحالات الاخرى .

٢. اية وسيلة مالية ، وغير مالية ، لتشجيع الموظفين على المحافظة على مستويات الاداء او تجاوزها .

Income Statement **بَيَانُ الدَّخْل**

تقرير حسابيّ يلخّص بنود الايرادات وبنود المصروفات ويبين الفرق بينها ، اي الدخل الصافي خلال مدة معطاة . وهو يوضّح الاسباب التي ادّت الى الربح او الخسارة ، ويعرف ايضاً ببيان الارباح والخسائر .

Index Number **الرَقْمُ الدَّلِيْلِيّ**

وسيلة إحصائية لقياس التغيير الذي يقع بين فترتين منفصلتين ، ويعبّر عنه كنسبة يتوصل اليها بقسمة الرقم الخاص بالفترة المتأخرة على الرقم المحدد الخاص بالفترة المتقدمة ، او بالعكس .

Indirect Cost **التَكْلِفَةُ غَيرُ المُبَاشَرَة**

تعبير خاصّ بمحاسبة التكاليف يستخدم لوصف المصروفات او التكاليف التي لا تتكبد مباشرة او التي لا تتعلق بسلعة او بدفعة من السلع . وتشمل هذه المصروفات ثمن المواد غير المباشرة (كالقرطاسية والبضائع القابلة للاستهلاك) وتكاليف العمل غير المباشر (كالاعمال الكتابية واعمال الاشراف) وتكاليف الخدمة (كالايجار والرسوم والكهرباء والاستهلاك) . وهي تعرف ايضاً بالتكاليف الثابتة غير المباشرة والتكاليف الاضافية والاعباء .

Indirect Labor **الأَيْدي العَامِلَةُ غَيرُ المُبَاشَرَة**

تعبير خاص بمحاسبة التكاليف يدل على الايدي العاملة التي لا تستخدم مباشرة في انتاج سلعة او دفعة من السلع او تتعلق بها ، كعمال الصيانة والتفتيش . والايدي العاملة غير المباشرة تساعد الايدي العاملة المباشرة وتقدم خدمات لها ، ولكنها لا تضيف اي شيء الى معالجة السلعة التي يجري صنعها .

Industrial Goods

Indirect Materials **المَوَّاد غَيرُ المُبَاشَرَة**

المواد التي تستعمل في عملية الانتاج او التوزيع ، ولكنها لا تصبح جزءاً من السلعة .

Induction **الإطْلاَعُ**

توجيه الموظف الجديد وتعريفه بنواحي عمله غير الفنية ، كظروف العمل وسياسة الشركة العامة .

Industrial Dynamics **الدينَاميكيّة الصِنَاعيّة**

١. تطبيق علم التحكم الاوتوماتيكي (انظر CYBERNETICS) على انظمة العمل وعملية اتخاذ القرارات .

٢. مبدأ في السلوك الصناعيّ تفحص بموجبه العلاقة المتبادلة بين هياكل التنظيم الاداري والسياسة وعمليات اتخاذ القرارات . ووفقاً لهذا المبدأ تفحص حركات المال والطلبات والمواد والموظفين والمعدات داخل الشركة ، ويشدد على الطبيعة الديناميكية لهذه الحركات وتفاعلها الدائم فيما بينها .

ويحاول مبدأ الديناميكية الصنّاعية وضع نظام خاص لإتخاذ القرارات في الشركة مبني على تحليل المعلومات العرضية (او التنفيذية المرتدة . انظر FEEDBACK) واستعمال طرق المحاكاة وتطبيق اساليب الحاسبات الآلية .

Industrial Engineering **الهَنْدَسَة الصِّناعيّة**

١. تعبير امريكي يصف اساليب متعددة الانواع تستخدم في فحص فعاليّة الشركة فحصاً تحليلياً وانتقادياً . وتشمل الهندسة الصناعية عادة التخطيط والتصميم واعمال الانتاج ، اي دراسة العمل وتقدير الوظائف ومقاييس الخطط التشجيعية وطرقاً ومعلومات اخرى تطبق او تجمع بصورة منهجية لمساعدة الادارة ولتحقيق الكفاية .

٢. يستعمل التعبير بصورة عامة كمرادف لتعبير دراسة العمل (انظر WORK STUDY)

Industrial Goods **بَضَائِع التّصْنيع**

بضائع مقررة للبيع لاستعمالها في الدرجة الاولى في انتاج بضائع اخرى او في تقديم خدمات ، تمييزاً لها عن البضائع المقررة في الدرجة الاولى لبيعها الى المستهلك النهائيّ . وبضائع التصنيع

Industrial Psychology

تشمل المعدات (المركّبة وملحقاتها) واجزاء التركيب ولوازم الصيانة والاصلاح والتشغيل والمواد الاولية ومواد الاعداد .

Industrial Psychology **عِلْم النَفسِ الصِناعيّ**

دراسة السّلوك البشريّ في العمل او في البيئة الصّناعية دراسة منهجية . وهناك اربعة فروع رئيسية لهذا العلم وهي : الابحاث الخاصة بشؤون الموظفين (كالاختيار والاستخدام والاتصال والتّدريب) ، وإعطاء المشورة للموظفين (كالدراسات الجماعية والتقاعد) ، ودراسة الطاقات (كتصميم المعدات) وابحاث الترغيب (كالابحاث الخاصة بالاسواق ودراسات الاعلان) .

Industrial Rate of Return **المُعَدَّل الصِناعِي للمَرْدُود**

انظر : DISCOUNTED CASH FLOW

Industrial Relations **العَلاقاتُ الصِناعيّة**

١. تعبير عام يشمل الامور ذات الاهمية المشتركة بالنسبة الى الموظفين واصحاب العمل ، اي العلاقات الرسمية وغير الرسمية بين الموظف والآجر .

٢. يستعمل التعبير ايضاً بمعناه الشائع للاشارة الى عمليات التشاور والتفاوض بين الممثلين الرسميين لاصحاب العمل والموظفين . انظر ايضا LABOR RELATIONS .

Industrial Standardization **تَوجيهُ المَقَايِيس الصِناعية**

تطوير وتطبيق وتحديث المعايير والمقاييس المتجانسة ومواصفات المواد بصورة منهجية بهدف تخفيض التكاليف والمحافظة على مقاييس مرضية للنوعية والاداء .

Industrial Union **إتّحاد صِناعِيّ**

اتحاد يمثل جميع او اكثرية عمال الانتاج والصيانة والاعمال المرتبطة بها المشتغلين في صناعة واحدة . ويجوز ايضاً ان يضم الاتحاد الموظفين الكتابيين وموظفي البيع والفنيين .

Informal Organization **التَنْظِيم غَيرُ الرَسْمِيّ**

مبدأ في اصول الادارة يدل على تعقد العلاقات الاجتماعية المتبادلة التي تقوم بانماط متكررة

Intangible Assets

او في تعاونيات او جمعيات لتبادل المساعدات والتي تنشأ عن تجمع الافراد وتعاونهم في اطار نشاط او تنظيم معين .

Information Retrieval إسْتِقَاء المَعْلومَات

١. طرق استقصاء المعلومات المناسبة الى اقصى حد ممكن من عدد كبير من المصادر .
٢. اختيار المعلومات المختزنة وتعيين اماكنها وعرضها .

Information Theory نَظَرِيّة المَعْلومَات

ناحية من نواحي نظرية الاتصال (انظر COMMUNICATION THEORY) تُعنى بصورة خاصة بتبادل المعطيات ، تمييزاً لها عن الافكار والآراء .

Input التَلْقِين . المَعْلومَات الداخِلة

١. عملية نقل المعطيات من مكان اختزان خارجي الى مخزن داخلي في الحاسبة الآلية .
٢. تصف الكلمة المعطيات المنقولة والاجراءات التي تتم بها عملية النقل .
٣. تستعمل الكلمة مجازاً للاشارة الى اية موارد تستغل في عمليات منتجة او في عمليات اخرى تضيف الى قيمة الشيء .

Institute of Office Management مُؤَسّسَةُ إدارة المكاتِب

كانت سابقاً جمعية ادارة المكاتب ، وقد تأسست عام ١٩١٧ كهيئة مهنية للاشخاص الذين يتولون وظائف ادارية في الشركات وغيرها من المؤسسات .

Institute of Personnel Management (IPM) مُؤَسّسة ادارةِ المُوظّفين

هيئة مهنية للاشخاص الذين يتولون وظائف ادارية تعنى بشؤون الموظفين ، وقد تأسست عام ١٩١٣ .

Intangible Assets الأصول غَيْر المَنْظُورَة

اصول ثابتة ليست بطبيعتها مادية ولا مالية ، وقد تدرج في الميزانية العمومية بسعر التكلفة او باي سعر جزافي . وتشمل هذه الاصول البراءات والحقوق والعلامات التجارية والرخص واتفاقيات الريع وحقوق التأليف والنشر وشهرة المحل والمصروفات المحوّلة الى رأسمال .

Integer Programming **وَضْعُ البَرامج بِأعدادٍ صَحيحة**

اسلوب من اساليب وضع البرامج رياضياً يمكن تطبيقه على المسائل المنطوية على تخصيص الموارد التي لا يفيد فيها الكلام عن المقادير باعداد غير صحيحة اي بقيم مدوّرة .

Integral or Integrated Accounting **المُحاسَبةُ المُتَكامِلَة**

اسلوب في المحاسبة تندمج فيه دفاتر محاسبة التكاليف والدفاتر المالية في نظام واحد وبهذا يتم التغلب على مشاكل مطابقة السجلات المالية لسجلات محاسبة التكاليف .

Integrated Data Processing **مُعالَجَةُ المُعْطَيات المُتَكامِلة**

١. معالجة المعطيات المنظمة والمنفذة بطريقة مخططة ومنهجية على نحو تام .

٢. مجموعة من اجراءات معالجة المعطيات التي تبنى حول لغة مشتركة خاصة بالآلة ، كالشهريط الورقي المثقب ، والتي تنطوي على ادنى حد من العمل اليدويّ .

٣. مجموعة موّحدة من ارقام المحاسبة والارقام الاخرى يمكن بواسطتها اجراء مراجعة دورية شاملة لجميع نواحي النشاط على خطط وميزانيات مقررة سلفاً ضمن اطار موحّد .

Integrated Planning and Control **التَخْطيط والمُراقَبَةُ المُتَكامِلان**

مبدأ في التخطيط مبني على الرأي القائل بان عملية التخطيط توفر الاساس لقيام الشخص نفسه الذي اجرى التخطيط بعملية المراقبة ايضاً . وتدمج عمليتا التخطيط والمراقبة في عملية واحدة مستمرة .

Integrated Project Management (IPM) **ادارةُ المَشرُوع المُتَكامِلَة**

تعبير عام لوصف اساليب التخطيط ووضع الجداول الزمنية والمراقبة الخاصة بالمشروع والعمل

Interfirm Comparison **المُقارَنةُ بين الشَرِكات**

جمع وتحليل النسب الخاصة بالاعمال الادارية والنسب المالية فيما بين الشركات التي تزاول الصّناعة نفسها عادة . والهدف من ذلك هو تزويد الادارة بمعلومات تبين نسبة اداء الشركة الى اداء الشركات الاخرى وتشير الى المجالات التي يمكن اجراء تحسينات فيها . لقد اسس معهد الادارة البريطانيّ ومجلس الانتاجية البريطاني في عام ١٩٥٩ هيئة مستقلة لا تستهدف الربح (مركز المقارنة بين الشركات) غايتها تشجيع اعمال المقارنة بين الشركات والقيام بها

على اساس اختياريّ وسريّ وبطرق متناسقة ومتفق عليها . وتبين اعمال المقارنة بين الشركات المشتركة فيها المعلومات الخاصة بالارباح والتكاليف واداء العمل فيها بالنسبة الى المعلومات المماثلة في الشركات الاخرى التي تزاول الصناعة نفسها ، بهدف تقديم « تشخيص ذاتي » لإزالة نقاط الضعف وزيادة الارباح . وتشمل هذه الخدمة شركات تمارس عدداً كبيراً من الصناعات والحرف .

Internal Auditing **تَدقِيْق الحِسَابَات الدّاخِليّ**

قيام شخص من بين موظفي الشّركة يعمل في دائرة مستقلة بمراجعة المحاسبة والاعمال المرتبطة بها . والهدف من هذه المراجعة قياس فعّالية وسائل المراقبة الداخلية وتقييمها .

Internal Rate of Return **المُعَدّل الدّاخِليّ للمَرْدُوْد**

انظر DISCOUNTED CASH FLOW

International Labor Office (ILO) **مَكتَب العَمَل الدَوْليّ**

وكالة خاصة تابعة لهيئة الامم المتحدة مقرها الرئيسي في جنيف بسويسرا ، وهدفها تحسين احوال العمل ورفع مستويات المعيشة وتحقيق الاستقرار الاقتصاديّ والاجتماعيّ بواسطة اجراءات دولية ، وذلك عن طريق اشتراك ممثلين عن العمال واصحاب العمل والحكومات . وقد اسس هذا المتكب اصلاً في عام ١٩١٩ تحت رعاية عصبة الامم السابقة .

International Paper Sizes **احْجَام الوَرَق العَالَميّة**

أحجام الورق المستعملة في معظم البلدان الاوروبية والتي توصي باستعمالها على نطاق عالميّ المنظمة الدولية لتوحيد المقاييس . وهناك ثلاث فئات مناسبة لاحجام الورق وتعرف بفئات «أ» و «ب» و «ج» .

International Standards Organization **مُنَظَمَةُ المَقَايِيس العَالَمية**

تأسست رسميا عام ١٩٤٦ كمركز ذي مسؤولية جرى تنسيقها على نطاق دولي لتطوير ونشر المقاييس المشتركة للخاصيات الفنية والطبيعية . ويؤيد هذه المنظمة اكثر من خمسين دولة ويديرها مجلس عالمي . ويقوم بتوجيه العمل المفصل فيها حوالي ١٢٠ لجنة فنية ذات اختصاصات محددة . وقد سبقت منظمة المقاييس العالمية هذه هيئة اخرى كانت تعمل منذ ١٩٢٦ . وهي الرابطة العالمية لتوحيد المقاييس .

In-Tray Training; In-Basket Training — **التدْريبُ بِدِراسةِ المُراسلاتِ الوَارِدة**

اسلوب من اساليب التدريب لتطوير الكفايات الادارية يعطى بموجبه الاعضاء المشتركون عيّنة من المراسلات التي يشملها المدير عادة والتي يجب ان يتخذ قراراته بشأن كل منها خلال فترة محددة من الوقت .

Inventory — **الجرد . البضائعُ الموجودة .**

١. قائمة مفصلة تبين كميات وقيم المواد الخام والاعمال الجارية والبضائع التامة الصنع المخزونة في المستودع . وتشمل في بعض الاحيان المباني والمنشآت .

٢. كثيراً ما تستعمل كمرادف لعبارة البضائع المخزونة (انظر STOCK)

Inventory Control — **مُراقَبَةُ الجَرد**

انظر STOCK CONTROL

Investment — **الاستِثمَار**

مصروفات لا تعود بمردود كامل الآ بعد مرور وقت لا يستهان به على تاريخ انفاقها .

IOM: Institute of Office Management — **اختصار : مؤَسّسةُ إدارَة المَكاتِب**

(انظر العبارة في مكانها) .

IOM Job Grading — **تَدَرّج الوَظَائِف وَفقْاً لمُؤسّسة ادَارةِ المكاتب**

برنامج تدرّج الوظائف للاعمال المكتبية ابتكرته مؤسسة ادارة المكاتب ، وتقسم الاعمال الكتابية بموجبه الى ست درجات وظيفية وتعرف بدرجات «أ» و «ب» و «ج» و «د» و «هـ» و «و» . ان المهام الخاصة بالدرجة «ا» لا تتطلب خبرة سابقة ، اما الدرجات الاخرى فهي تختصّ بالاعمال التي تنطوي على المزيد من التعقيد والمسؤولية .

IPM: Institute of Personnel Management — **اختصار : مؤسسة ادارة الموظفين**

(انظر العبارة في مكانها)

ISO : International Standards Organization

: Integrated Project Management	اختصار : إدَارَةُ المَشَارِيعِ المُتَكَامِلَة (انظر العبارة في مكانها)
ISO: International Standards Organization	اختصار : مُنَظَّمة المَقَايِيس العَالَمِيَّة (انظر العبارة في مكانها)

73

Job Analysis

Job Analysis **تَحْلِيلُ الوَظِيفَة**

١. دراسة الوظيفة بهدف التعرف على الاجزاء المكوّنة لها وما تنطوي عليه من الواجبات والمتطلبات المادية والعقلية والادوات والمعدات المستعملة وخطوط الترقية والخبرة وشروط المقدرة وفئات الاجور وساعات واحوال العمل فيها ، وعلى علاقتها بغيرها من الوظائف .
٢. عملية دراسة كل وظيفة في جميع نواحيها بقصد كتابة اوصاف الوظائف المختلفة ووصائفها .
وهو يعرف ايضاً بدراسة الوظيفة .

Job Breakdown **تَفْصِيلُ العَمَل**

سرد للعناصر المؤلفة للعمل . وهو يعرف ايضاً بتفصيل المهمة او تفصيل العملية .

Job Card **بِطَاقَة العَمَل**

بطاقة تسجّل فيها تفاصيل العمل ، اي عدد الوحدات المنتجة والوقت الذي استغرقه انتاجها والآلات التي استعملت وغير ذلك .

Job Characteristic **خَاصيّة الوَظيفَة**

انظر JOB FACTOR

Job Classification **تَصْنِيفُ الوَظَائِف**

انظر JOB GRADING

Job Costing **حِسَاب تَكَالِيفُ العَمَل**

اسلوب في محاسبة التكاليف يطبق على الانتاج الذي تم حسب مواصفات العميل ، ووفقاً لهذا الاسلوب تخصص للعمل جميع التكاليف التي جرى تكبدها .

Job Description **وَصْفُ الوَظِيفَة**

١. يستعمل كاصطلاح محدد للدلالة على الخطوط العريضة للمسؤوليات والمميزات الرئيسية الخاصة بوظيفة او منصب ، والتي يجري تعيينها بتفصيل اكثر عن طريق تحليل الوظيفة (انظر JOB ANALYSIS) الى المواصفات الخاصة بها (انظر JOB SPECIFICATION) .

Job Simplification

٢. يستعمل التعبير احياناً كمرادف لمواصفات الوظيفة (انظر JOB SPECIFICATION) .
٣. انظر ايضاً MANAGEMENT JOB DESCRIPTION .

Job Evaluation
تَقْيِيم الوَظِيفَة

١. اصطلاح عام يشمل وسائل تحديد القيم النّسبية للوظائف .
٢. تقدير الوظائف بهدف تحديد العلاقات بين كل وظيفة واخرى في المؤسسة ووضع صورة كاملة لبناء الوظائف فيها .
٣. من تحليل مختلف الخصائص التي تشكل درجات الصعوبة في اداء كل وظيفة من الوظائف ووضع بناء مناسب وعادل للاجور . وقد يتم التقييم باعطاء نقاط محددة لكل خاصيّة من خصائص الوظيفة ، او بتصنيف الوظائف الى رتب ، او بالمقارنة بين عوامل الوظيفة المختلفة (كالجهد العقلي مثلاً) .
انظر ايضاً : POINTS RANKING METHOD . ويعرف ايضاً باسم تدرج العمل (في الولايات المتحدة الامريكية) .

Job Factor
عَامِل الوَظِيفَة

احد متطلبات الوظيفة الذي يمكن تمييزه وتحديده وتقييمه ، كالقدرات العقلية والجسدية التي يقتضيها العمل والمهارة المطاوبة والمسؤولية واحوال العمل . وهو يوفّر اساساً لاختيار الموظفين وتدريبهم ولوضع سلالم الاجور . ويعرف ايضاً بخاصيّة الوظيفة .

Job Grading
تَدَرُّجُ الوَظَائِف

تجميع الوظائف ذات المحتويات والمسؤوليات والمتطلبات المتشابهة في منازل او درجات تخصص لها عادة رواتب مماثلة. انظر ايضاً JOB RANKING METHOD و JOB CLASSIFICATION .

Job Ranking Method
أسْلُوبُ وَضْعِ الرُتَبِ لِلوَظَائِف

اساوب لتقييم الوظائف تحدد بموجبه المكانة النسبية لكل وظيفة عن طريق مقارنتها بجميع الوظائف الاخرى . وهذا الاسلوب لا يدل على مدى الفرق بين الوظائف في المستويات المختلفة . انظر ايضاً JOB GRADING .

Job Simplification
تَبْسِيط العَمَل

تحليل كل ناحية من نواحي العمل بهدف ازالة كل ما من شأنه ان يعقد . من غير ضرورة ، تحقيق الغرض الحقيقيّ لذلك العمل .

75

Job Specification
مُواصَفاتُ الوَظِيفة

١. بيان مكتوب بمحتوى الوظيفة تدون فيه تفاصيل العمليات والواجبات والمعدات والاساليب واحوال العمل والمسؤوليات والعوامل الجوهرية الاخرى التي تنطوي عليها الوظيفة ، وعلاقة تلك الوظيفة بالوظائف الاخرى . وهي تُبنى عادة على تحليل الوظيفة (انظر : JOB ANALYSIS) .

٢. انظر ايضاً : JOB DESCRIPTION و PERSONNEL SPECIFICATION

Job Standardization
تَوْحِيدُ مَقاييس العَمل

وضع طريقة محددة لتأدية عملية او للقيام باجراء معيّن .

Job Study
دِراسَةُ الوَظِيفة

انظر : JOB ANALYSIS

Journal
دَفْتَرُ اليَومِيّة

دفتر تقيد فيه المعاملاتُ الحسابيّة للمؤسسة ، باستثناء المعاملات النقدية ، قبل ترحيلها الى دفاتر الاستاذ . ويستعمل دفتر اليومية بصورة جارية في مجال محدود فقط يشمل البنود والتي تقع خارج نطاق دفاتر المحاسبة الاخرى .

Kaiser Steel Scheme

خُطَّةُ كَيْسَرْ لِلفُوْلاَذْ

خطة تم التفاوض عليها بين شركة كيسر للفولاذ (الولايات المتحدة الامريكية) واتحاد عمال الفولاذ في عام ١٩٦٣ لضمان الموظفين ضد فقدانهم وظائفهم او دخلهم بسبب التغييرات التي تطرأ على العمل . وتنص هذه الخطة ايضاً على المشاركة في المبالغ التي توفر من تكاليف المواد والايدي العاملة .

Kartel

كَارْتَلْ . إتّحَاد المُنْتجين

انظر : CARTEL (كذا تكتب في بريطانيا عادة)

Kepner-Tregoe

كَبْنَرَ – تِرِيْجُو

انظر : PROBLEM ANALYSIS AND DECISION MAKING

Keysort Cards

بِطَاقَاتُ الفَرْزِ

نوع من البطاقات المُثقبة التي تفرز بواسطة ابرة فارزة . فالبطاقات المقرّضة التي تحتوي على الخاصيات المطلوبة والمدونة برموز تذهب الى جهة ، عند ادخال الابرة الفارزة بينها ، بينما تظل البطاقات غير المقرّضة مرتبة في مكانها .

Kinaesthetic

حِسِّيُّ الحَرَكَةِ

اصطلاح في علم دراسة الطاقات (او في فن التدريب) يصف الاساسات بالحركة التي تحدث في عضلات او مفاصل الجسم البشريّ والتي تنشأ عن الاستجابة للمنبهات الخاصة باللاقطاب الحسية الموجودة في الانسجة ، ولكن دون ان يعني ذلك بالضرورة الحركة التي يمكن ادراكها بالحواس .

Kinetograms

بَيَانُ الحَرَكَةِ

سجل فوتوغرافيّ يبيّن مسلك الحركة الفعليّ الذي يجتازه الطرف او اي عضو آخر من اعضاء الجسم في تأدية عملية معطاة او نشاط معيّن .

Konig Method

أسْلُوب كُونِيْغْ

انظر HUNGARIAN METHOD

Kostick's Perception

إدْرَاكُ كُوْسْتِكْ

نظام امريكي لاختبار الشخصية والقدرة على الاختيار .

77

Labor Cost **تَكْلِفَةُ اليَدِ العَامِلَة**

ذلك الجزء من تكاليف البضائع او الخدمات الذي يعزى الى الاجور ، ويجوز ان يشمل اليد العاملة المباشرة و/او غير المباشرة .

Labor Grading **تَدَرُّجُ العَمَل**

اصطلاح امريكي لتقييم الوظيفة (انظر : JOB EVALUATION)

Labor Productivity **إنْتَاجِيَّة اليَدِ العَامِلَة**

نسبة المردود او القيمة المضفاة في الانتاج الناشئة عن الموارد البشرية المبذولة (اليد العاملة) الى تكاليف استئجار تلك الموارد خلال المدة التي يستغرقها العمل المعني . وقد يُعبَّر عن هذه النسبة بمصطلحات مادية او بقيم مالية ، او على شكل دليل .

ملاحظة : الطريقة الشائعة للتعبير عن هذه النسبة هي ان تبيّن على شكل « الدقائق او الساعات القياسية الناتجة » مقابل ساعات العمال المخصصة للعمل . انظر WORK MEASUREMENT

Labor Relations **عَلاَقَةُ العَمَل**

العلاقات بين ادارة الشركة والعمال المنتظمين فيها ، وذلك يشمل المفاوضات التي تجري بشأن الاتفاقيات ومعالجة الخلافات التي تنشأ عن تفسير وتطبيق اتفاقيات الاستخدام واحكامه وشروطه .

Labor Turnover **العُمَّال المُسْتَعَاضُون**

عدد الموظفين الذين يتركون العمل والموظفين الجدد الذين يستخدمون ليحلوا محلهم خلال فترة معطاة من الزمن . ويعبّر عن هذا عادة على شكل نسبة مئوية من متوسط عدد العمال المستخدمين خلال الفترة المعنيّة .

Last In, First Out (LIFO) **البَضَائع الدَّاخِلة أخيراً تُصْرَفُ اوّلاً**

١. طريقة في محاسبة التكاليف تتبعها الشركات التي تحتفظ باصناف كثيرة من البضائع المخزونة من النوع نفسه والمشتراة في اوقات مختلفة وباسعار مختلفة كما تبينها الدفاتر . وبموجب نظام « البضائع الدّاخلة اولا تصرف اولا » الاكثر شيوعاً ، يفترض ان الصنف الذي يباع هو اول الاصناف التي اشتريت ، بينما يفترض ، وفقاً لنظام « البضائع الداخلة اخيراً تصرف اولاً » ، ان الصنف الذي يباع هو آخر الاصناف التي اشتريت . وفي وقت تكون فيه الاسعار

في ارتفاع ، يتوصل نظام « البضائع الداخلة اولا تصرف اولا » الى تحقيق ارباح اكثر مما يتحقق عن طريق نظام « البضائع الداخلة آخراً تصرف اولاً » ، ويكون الوضع عكس ذلك تماماً عندما تكون الاسعار في انخفاض .

٢. واحياناً يستعمل التعبير ايضاً لوصف حركة البضائع .

Law of Variable Proportions **قَانُونُ النِّسَبِ المُتَغيِّرة**

انظر DIMINISHING RETURNS

Lead Time **وَقْتُ مُتَقَدِّم . مُهْلَة**

يعني التعبير في مراقبة البضائع المخزونة وتخطيط الانتاج الفترة الزمنية الفعلية او المتوقعة بين بدء الطلب او العمل وبين تلبيته او انجازه ، وهو في الغالب اطول من الوقت اللاّزم لتسليم البضاعة . انظر ايضاً : LYING TIME

Leader Merchandizing **الإغْواءُ بالسِعرِ المُخفّض**

اجتذابُ المستهلكين بالاعلان عن سلعة تباع باسعار منخفضة ثم اقناعهم بشراء سلع اخرى اغلى . وهو يعرف ايضاً بالبيع المتحول . انظر ايضاً : LOSS LEADER

Learning Curves **مُنْحَنيات التَعلُّمُ**

رسم بيانيّ يظهر القدرة الانتاجية والاوقات التي استغرقها العمل على كل وحدة لدى الفرد او المجموعة ، معبّراً عنها كدالّة وقت او دخل في كل وحدة زمنية صرفت على وحدة عمل . ان المنحنى الخاص بالمردود النموذجي مقابل خط الوقت يتقوّس من مصدره صعداً او الى الجهة اليمنى ثم يتسطح تدريجياً . وتبين منحنيات التعلم كيف يتغير معدل التعلم بزيادة الممارسة ، وهي تستعمل في التنبوء بمدى انتاجية العمال .

Lease or Buy **اسْتَأجِرْ أو اشْتَرِ**

تعبير عامي يوجز مسألة تقييم المزايا النسبية لاستئجار المعدات مقابل شرائها القطعيّ المباشر لغرض استعمالها .

Leasing **الإسْتِئجار**

انظر EQUIPMENT LEASING

Least Cost Estimating and Scheduling System (LESS)

Least Cost Estimating and Scheduling System (LESS) — **نِظام تَقدِير التَكاليف وَوَضعِ الجداولِ**

اسم مسجّل لنظام خاص بالتخطيط الشبكيّ من النوع المعروف بطريقة تقييم ومراجعة البرامج (PERT) ابتكرته شركة آي.ب.م. وهو شبيه بنظام PERT ، ولكنه يختلف عن ذلك بشيء واحد وهو أنه يخصص وقتاً مقدراً لكل نشاط من النشاطات .

Least Squares Method — **أسلُوب أقلّ المُربّعَات**

اسلوب إحصائيّ « لمطابقة » منحنى معيّن على قيمتين اختيرتا كعيّنتين . وتتحقق افضل مطابقة عندما يكون مجموع عدد المربعات التي تمثل انحرافاً عن خط الاتجاه في حده الادنى . وتعتبر واحدة من هاتين القيمتين كمتغير مستقل « ك » والاخرى كمتغيّر تابع « س » . ويفترض عادة أن تكون العلاقة بين هذين المتغيرين معبراً عنها بخط طوليّ .

Ledgerless Accounting — **مُحاسَبَةُ بِدون دَفاتِر**

اسلوب في المحاسبة تفرد بموجبه نسخ الفواتير الى فئات من الحسابات التي تقيد في دفتر الاستاذ ، ثم ترحّل مجاميع الفئات الى حساب اجماليّ . وعندما يجري دفع مبالغ من المال تسحب الفواتير الممثلة لهذه المبالغ وتوضع في ملف لها . ويرحّل المجموع الى حساب اجماليّ وبهذا يستغنى عن اجراء قيود مدينة وقيود دائنة . وهو يعرف ايضاً باسم المحاسبة بدون سجلّات ومحاسبة نظام البطاقات وقيود الملفات .

LESS: Least Cost Estimating and Scheduling System — **اختصار : نِظَام تَقدِير التَكاليف وَوَضعِ الجداول**

(انظر العبارة في مكانها) .

Leverage — **الفَعَاليّة المَاليّة**

نسبة دين صاحب المشروع الى رأسماله .

Liabilities — **الالْتِزَامَات**

المطالبات ضد المؤسسة ، ويستعمل هذا الاصطلاح عادة لوصف مطالبات الدائنين فقط . وهو يشمل باوسع معانيه جميع البنود المقيدة في الجهة اليسرى من الميزانية العمومية (في الجهة اليمنى في الولايات المتحدة الاميريكية) ، بما فيها مطالبات اصحاب المشروع الممثلة بالرأسمال والبضائع المخزونة والفائض وغير ذلك .

Line of Command

اختصار : البَضَائِعُ الدَّاخِلةُ أخيراً تُصرَفُ أولاً **LIFO: Last In, First Out**
(انظر العبارة في مكانها) .

خُطَّةُ لِنْكِنْ التَّشْجِيعِيَّة — **Lincoln Incentive Scheme**

خطة تشجيعية تجمع بين المشاركة في الارباح والاستفادة من مقاييس الاداء الموضوعة نتيجة لدراسة العمل وتقدير الاستحقاق واقتراح اية خطة اخرى لتحقيق برنامج تشجيعي عام . وقد وضعتها شركة لنكن الكترك الامريكية في كليفلند . وبموجبها تقسم المكافأة بين اعضاء الادارة والموظفين (باستثناء رئيس الشركة ورئيس مجلس ادارتها) بعد دفع ٦ في المئة الى المساهمين ، وهي تبنى على اساس ما اسهم به كل شخص في نجاح الشركة . والهدف العام لهذه الخطة تحقيق الشعور بوحدة مصلحة الموظف والادارة .

التَّنْفِيذِيُّون والاسْتِشَارِيُّون — **Line and Staff**

اصطلاح كثير الاستعمال يدل على نمط من المسؤوليات المفوضة التي تشمل كلاً من المسؤوليات التنفيذية (الخاصة بتنفيذ الاعمال) والوظيفية . (انظر FUNCTIONAL RESPONSIBILITIES) .

الإدَارَةُ التَّنْفِيذِيَّة — **Line Management**

الافراد الذين يضطلعون بالمسؤولية المباشرة عن تحقيق اهداف الشركة .

خَطُّ التَّوازُن — **Line of Balance (LOB)**

اسلوب لمراقبة المشروع ووضع الجداول (بالتحليل الشبكيّ) ابتكر لتوضيح اوجه النشاط التي تؤلف عملية معقدة بطريقة الرسم البيانيّ . وهو اسلوب لجمع المعطيات وقياسها وتوضيحها : فالرسم البياني الموضوع وفقاً لاسلوب خط التوازن يبيّن منحنى يمثل الهدف وبياناً لحركة العمليات على ان يحتوي على احداثية للوقت ورسم بياني باعمدة يبيّن « خط التوازن » . ويكون هذا الخط بمثابة مرشد الى تقدم العمل كما يدل على مدى النجاح الذي نفذت به الخطة المقررة . ويستخدم خط التوازن في تخطيط الانتاج ومراقبته او في اية عملية ذات نواحٍ متعددة يكون فيها التوقيت المرحلي مهماً .

خَطُّ السُّلْطَة — **Line of Command**

طريق التفويض في السلطة الذي تسلكه الاوامر نزولاً وتتسلسل فيه المسؤوليات صعوداً .

81

Line Production **الإنتاجُ الخطّي**

اسلوب او نوع من الانتاج سمي كذلك لان الآلات والاجهزة والمعدات الاخرى ترتب بالشكل المتتابع الذي تستعمل فيه في عملية الانتاج او التجميع .

انظر ايضاً : MASS PRODUCTION و FLOW PRODUCTION

Linear Programming **وَضْعُ البَرامِج الخطّي**

طريقة ابتكرها جي. دانترج (في الولايات المتحدة الامريكية) عام ١٩٤٩ لاظهار العلاقات الرياضية بين مجموعة معقدة من الحالات ، ولاجراء حسابات معيّنة بقصد ايجاد الحل الافضل او الامثل للمسألة . وهذه طريقة لتخطيط استعمال وتوزيع الموارد القليلة في الحالات التي يوجد فيها عدد كبير من اوجه الاستعمال البديلة الممكنة . انها العلاقة بين الاهداف واوجه النشاط والقيود ومتطلبات الانتاج يعبّر عنها بشكل جبري مستقيم (خطي) . وينطوي تطبيق وضع البرامج الخطي على :

١. تعريف الاهداف وتقرير الحدود التي يمكن اتخاذ القرارات ضمنها .
٢. تعريف النتائج الاقتصادية والطبيعية لطرق العمل البديلة بتعابير كمية .
٣. قياس كمية العوامل الخارجية التي تقيّد حرية العمل .
٤. تعريف معايير التوصل الى النتائج المثلى بتعابير كمية .

وهذه الطريقة هي وسيلة تساعد الادارة على اتخاذ القرارات ، ويمكن استعمالها في حل مشاكل تحديد المواعيد ومراقبة البضائع المخزونة والنقل وتخصيص الموارد القليلة .

Linear Responsibility Chart **رسْمٌ بَيانيٌّ خَطّيٌّ للمسْؤوليّة**

اسلوب تخطيطي لتحليل وتسجيل العلاقات بين الموظفين الاداريين وبين وظائفهم وكميات اعمالهم ، ابتكره س. ا. برن في الولايات المتحدة الامريكية . والهدف من هذا الاسلوب هو ان تُكتَشف ، في رسم بياني واحد ، المعلومات التي تقدم عادة بصورة منفصلة في رسوم التنظيم البيانية وفي كتيّبات التنظيم والرسوم البيانية لسير الاعمال واوصاف الوظائف .

Liquid Assets **الأصُول الحَاضِرة**

انظر : CURRENT ASSETS

Liquid Ratio **نِسبَةُ السُيُولَة**

انظر : ACID TEST RATIO

Lying Time

Liquidation **التَصْفِيَة**

الاجراء القانونيّ الذي تنهى بموجبه مدة الشركة .

Liquidity **السُيُولَة**

حالة توافر الاموال بسرعة لتسديد الديون .

LOB: Location of Offices Bureau **١. اختصار : دِيوَان تَحديدِ مَوَاقعِ المكاتِب**

هيئة شبه رسمية في المملكة المتحدة تقوم بنصح الشركات والمؤسسات فيما يتعلق بتأسيس مكاتبها بعيداً عن منطقة لندن الكبرى .

: Line of Balance **٢. اختصار : خط التوازن**

Long Range Planning; Long Term Planning **تَخْطيطٌ طَويلُ المَدى او الأجَل**

عرض الخطط العامة والخاصة للشركة (فيما يتعلق بالشؤون المالية مثلاً والتسويق والانتاج والقوى العاملة وغير ذلك (لتنفيذها في حقبة تمتد في المستقبل فترة معقولة ، من ثلاث سنوات الى عشرين سنة مثلاً . وهو ينطوي على :

١. تخطيط الاهداف والنتائج التي يرجى تحقيقها في الفترة المخطط لها .
٢. تخطيط بناء التنظيم في المستقبل لمواجهة الاهداف .
٣. تقدير الموارد المطلوبة لتحقيق الاهداف ضمن حدود التكاليف والارباح المقررة .

ويكون التخطيط الطويل المدى عادة عملية مستمرة تنقح بموجبها الخطط سنوياً على ضوء التطورات الجديدة . وهو يعرف ايضاً بالتخطيط الاستراتيجي ، والتخطيط للمؤسسة ، والتخطيط للشركة .

Loss Lender **السِلْعَةُ المُجتَذِبَة**

سلعة تباع بالمفرّق بسعر اقل من التكلفة بقصد اجتذاب الزبائن لشراء سلع اخرى .

Lying Time **وَقْتُ الإنتِظَار**

مدة من الزمن تقع بين نهاية اسبوع العمل واليوم الذي تدفع فيه الاجور بالفعل . واحيانا تستعمل العبارة ايضاً كمرادف لعبارة الوقت المتقدم او المهلة (انظر LEAD TIME) .

Machine Hour Rate

Machine Hour Rate   اجرة الآلة في الساعة

المُعدَّل الفعليّ او المحدَّد سلفاً للتكاليف المخصَّصة او النفقات الثابتة المتكبدة ، ويجري حسابه بقسمة التكاليف المزمع تخصيصها او تكبدها على عدد الساعات التي تشغَّل فيها الآلة او الآلات ، او التي يتوقَّع أن تشغَّل فيها .

Machine Language   لُغة الآلة

انظر : COMPUTER INSTRUCTION CODE

Macroeconomics   الاقتصاد العامّ

فرعٌ من فروع الاقتصاد يُعنى بدراسة القيم الكلّية في اقتصاد معيَّن ، كالدَّخل القوميّ والإنتاج القوميّ الاجماليّ وتكوُّن راس المال وغير ذلك .

Magnetic Store   المَخزن المغنطيسيُّ

مخزن في الحاسبة الآلية تُستخدم فيه المغنطيسية الدَّائمة لتمثيل البيانات .

Magnetic Tape   الشَّريطُ المغنطيسيُّ

شريطٌ مصنوع من الورق او المعدن او البلاستيك ومطليّ أو مشرَّب بمادة مغنطيسيّة يمكن ان تُخزَّن عليها بقع مستقطبة ممثِّلة للمعلومات .

Mail Order House   محلّ للطلب بالبريد

مؤسسة للبيع بالمفرَّق تتسلَّم طلباتها أو تجري مبيعاتها عن طريق الكتالوجات فقط ، يُعزِّزها في ذلك احياناً وكلاء يعملون لحسابها بعض الوقت . وتجرى عادة نسبة كبيرة من هذه المبيعات بالدين .

Man-Machine Chart   رسمٌ بيانيٌّ للفرَد ــ الآلة

رسم بيانيٌّ يظهر العلاقة بين عمل العامل وعمل آلة واحدة .
انظر : MULTIPLE ACTIVITY CHART

Man Process Chart   رسم لبيان عمل الفرد

تمثيل تصويريّ للأعمال التي يؤديها شخص واحد ، ويمكن ان تشتمل المعلومات الممثلة

84

Management Appraisal

في هذا الرسم البياني على المسافة التي يتحرك فيها الشخص ونوع العمل الذي يؤدّيه والمُعدات التي يستعملها .

يُدير **Manage**

يخطط وينظم نشاطات او اعمال النّاس الذين تجمعهم مهمة معيّنة .

الإدارةُ **Management**

١. فن أو علم توجيه وتسيير وادارة عمل الآخرين بقصد تحقيق اهداف محددة .
٢. عملية اتخاذ القرارات والقيادة .
٣. بالنسبة الى الاقتصاديّ ، تَعني الإدارة عنصراً من عناصر الانتاج يُعنى بتنظيم وتنسيق العناصر الاخرى ، وهي الارض واليد العاملة والرأسمال ، بهدف تحقيق اعلى مستوى من الكفاءة .
٤. العملية الاجتماعية التي تترتب عليها المسؤولية عن تخطيط وتنظيم اعمال مشروع ما بصورة فعّالة واقتصادية بهدف تحقيق غاية او مهمّة معيّنة . وهي تنطوي على الحكم والتقرير في مسألة تحديد الخطط واستخدام البيانات من اجل مراقبة اداء العمل وتقدّمه بالنسبة الى تلك الخطط ، وتوجيه الموظفين ودمجهم وحثهم والاشراف عليهم اثناء تنفيذ الاعمال المنوطة بهم .

محاسبة الإدارة **Management Accounting**

تحليل وتقديم البيانات المالية والبيانات المتعلقة بالتشغيل التي تساعد الادارة على القيام بواجباتها فيما يتعلق بالتخطيط والمراقبة والتنفيذ بصورة فعّالة . وهذه المحاسبة تنطوي على استخدام طرق عديدة . كتحديد التكاليف ومراقبة الميزانية وتعيين التكاليف الحديّة واعداد النسب المالية والنسب الخاصة بالادارة .

تحليل الادارة **Management Analysis**

تعبير كندي بمعنى التنظيم والاساليب (انظر : ORGANIZATION AND METHODS).

تقييمُ الادارة **Management Appraisal**

١. يستخدم هذا التعبير عادة لوصف الاساليب الخاصة بقياس فعَاليِة المديرين في اداء واجباتهم . انظر ايضاً : MERIT RATING

Management Audit

٢. يستخدم احياناً بمعنى اوسع كمرادف لاصطلاح «تدقيق الادارة» (انظر : MANAGEMENT AUDIT) .

Management Audit **تدقيقُ الادارة**

١. فحص وتقييم شاملان ومنتظمان للمؤسسة ككلّ من حيث تكوين الرأسمال وسياسات الادارة وطرق التطبيق والتنظيم والمنتجات والخدمات والتكاليف وغير ذلك . والهدف من هذا التدقيق هو ابراز المجالات التي يمكن اجراء التحسينات فيها ، وتأمين حُسْن تنسيق الوظائف والاعمال . ويُعرف ايضاً باسم تقييم الادارة وتدقيق الاعمال .

٢. يستخدم احيانا بمعناه الضيق للدلالة على تقييم أداء فريق من هيئة الادارة واعضائه .

Management by Exception **الإدارة بالاستثناء**

تعبير عام يستخدم في وصف عملية تزويد الادارة بالمعلومات التي لا تراجع فيها سوى الانحرافات الهامة عن الميزانيات او الخطط ، كأساس لاتخاذ الاجراءات الاصلاحية بشأنها . والهدف من ذلك هو اختصار حجم التفاصيل التي تحتوي عليها تقارير الادارة واحصائياتها الى بيانات قليلة يمكن اتخاذ الاجراءات اللازمة على اساسها . انظر ايضاً : PARETO'S LAW

Management by Objectives **الإدارة بالأهداف**

وضع اهداف للمؤسسة او لجزء منها ، كأساس لتحقيق كفاءة اكبر وتهيئة الحوافز والبواعث للمديرين . وفي طريقة الادارة هذه ، تُعيّن العوامل التي تعوق تحقيق الأهداف وتُتّخذ الاجراءات المناسبة للتغلّب عليها وتُقيّم النتائج بصورة دورية وتُوضَع اهداف جديدة للمؤسسة حيثما تدعو الضرورة الى ذلك . انظر ايضاً : IMPROVING MANAGEMENT PERFORMANCE

Management Development **تطويرُ الادارة**

تعبير عام لاساليب تطوير كفاية وأداء كل واحد من المديرين . وهذا يشمل التدريب اثناء العمل (كانشاء مجلس ادارة ادنى) والتدريب خارج العمل (كالقيام بدراسة الحالات المعنيّة وبالادوار الوظيفية المختلفة والتدريب بدراسة المراسلات الواردة والعاب الادارة) .

Management Game **لعبة الادارة**

انظر : BUSINESS GAME

Managerial Grid

Management Job Description **وصف وظيفة ادارية**

بيان مكتوب بصفات وظيفة مدير تنفيذي او اختصاصي في الهيكل التنظيمي للمؤسسة ، يورد أوّلا موجزاً بالمهمّات الرئيسية ذات المسؤولية ثم ملخصاً بالمسؤوليات والمجالات التي تنطوي عليها النتائج الهامة ، مع الاشارة الى العلاقات الرئيسية الرسمية بالوظائف الاخرى في الهيكل التنظيميّ للمؤسسة . ويشار الى هذا البيان بعبارة « مواصفات الوظيفة الادارية » او « تعريف المسؤوليات » .

Management Operating System (MOS) **نظام التشغيل الاداريّ**

نظام « متكامل » من أنظمة تجهيز المعطيات ابتكرته شركة آي. ب. م. ، وهو مصمّم للقيام بمراقبة وظائف مختلف دورات الصنع ، ابتداء من المادة الخام حتى السلعة المنجزة . والمبدأ الاساسيّ لنظام التشغيل الاداريّ هو الادارة بالاستثناء .

Management Ratios **نسب الادارة**

تعبير مرادف عادة لتعبير النسب المالية (انظر : FINANCIAL RATIOS) ، وتُعرف هذه النسب ايضاً باسم « النسب التكنو مترية » .

Management Services **خدماتُ الإدارة**

تعبير يستخدم لوصف عملية تجميع عدد من الخدمات الاستشارية وخدمات النصح داخل المؤسسة ووضعها تحت تصرّف الادارة . وقد تشمل هذه الخدمات عملية التنظيم والاساليب ، ودراسة الاعمال ، وابحاث التشغيل ، وخدمات الحاسبات الآلية ، والمعلومات الاقتصادية ، وأية مجالات مختصة مماثلة اخرى .

Manager **مُدير**

١. شخص ينظمّ العمل ويوجّهه حتى نهايته عن طريق خدمات الآخرين .
٢. شخص لديه الصلاحية والمسؤولية عن ترجمة الخطط والسياسات الى اجراءات فعّالة لتحقيق اهداف محدّدة . انظر ايضاً : EXECUTIVE

Managerial Grid **الشّبكةُ الإداريةُ**

طريقة للتدريب بهدف تحسين أداء الاعمال الادارية . ابتكرها ر. س. بلايك في الولايات

المتحدة الامريكية . وتتضمن هذه الطريقة خمسة انواع من الهياكل التنظيمية مبنيّة على اساس عنصرين رئيسيين : العنصر الاول يمثل الاهتمام بالاداء ، والعنصر الآخر يمثل الاهتمام بالافراد .

Manpower Planning **تخطيط القوى العاملة**

عملية تقرير الاساليب المثلى لتطوير الموارد البشرية في البلد و/او المؤسسة ، والاستفادة منها . وهي تشمل تحديد المهارات المطلوبة وبرامج التعليم وتطوير الكفاءات .

MAPI Capital Expenditure Analysis **تحليلُ المصروفات الرأسماليّة بطريقة أ.بي.أي**

اسلوب لتقييم المصروفات الرأسمالية ومشاريع استبدال المُعدات ابتكرته جمعية الآلات والمنتجات المتعلقة بها في الولايات المتحدة الامريكية عام ١٩٥٠ . وهذا الاسلوب يبرز بعض العوامل لأخذها بعين الاعتبار في المستقبل كتلف الآلات وبطلان استعمالها ، كما يأخذ في الحساب أثر مشروع استبدال المعدات على الايرادات وتكاليف التشغيل ، ويهدف الى ابراز مزايا المشروع في المستقبل من حيث التشغيل ونسبة مردود الرأسمال .

Margin **الحدّ**

انظر : GROSS PROFIT MARGIN

Marginal Analysis **التّحليلُ الحدّيُّ**

انظر : BREAKEVEN ANALYSIS

Marginal Costing **حِساب التّكاليف الحدّيّة**

١. اسلوب لحساب التكاليف العملية أو السّلعة بعد استبعاد جميع التكاليف التي لا يمكن ان تتأثر بالتغييرات التي تطرأ على حجم الانتاج (اي التكاليف الثابتة) اثناء الفترة قيد المراجعة . وهذا الاسلوب مرشد مفيد في مواجهة المسائل التي تتطلب اتخاذ القرارات بشأنها والتي توجد لها حلول بديلة .

٢. يكون التعبير احياناً مرادفاً لعبارة حساب التكاليف المباشرة (انظر : DIRECT COSTING).

Marginal Stock Level **مُستوى المخزونات الحدّيُّ**

مستوى كمية المخزونات الذي لا يمكن معه تلبية الطلبات الحالية .

Market **السّوقُ**

١. مجموع القوى او الظروف التي يقوم المشترون والبائعون في ظلها باتخاذ قرارات تؤدي الى انتقال البضائع والخدمات .

٢. مجموع ما يطلبه المشترون المحتملون من سلعة معيّنة .

٣. مكان تجري فيه المتاجرة بالسلع . والكلمة تستعمل مجازاً للدلالة على مجموعة من اشخاص تقوم باي نوع من الاتجار (كسوق العملة) .

Market Penetration **إختراقُ السّوق**

نصيب الشركة من مجموع مبيعات سلعة معيّنة ، ويعبّر عنه عادة بنسبة مئوية من كل المبيعات التي تجري في مختلف انحاء البلاد أو في السوق المحلية ، أو ما يخصص احياناً للبيع في محل واحد معيّن .

Market Potential **إمْكَانيّةُ السّوق**

حساب الحد الأعلى لفرص البيع الممكنة لجميع بائعي بضاعة او خدمة ما اثناء فترة معيّنة .

Market Research **بَحثُ حالة السّوق**

تَقَصّي وتقييم السّوق بصورة منتظمة لمعرفة وضع سلعة أو خدمة حاليّة او مزمع انتاجها . وهذا جزء من عملية « بحث التسويق » (انظر : MARKETING RESEARCH) .

Marketing **التّسْويقُ**

١. تعريف المستهلك بسياسة الشركة ، بما في ذلك الانتاج .

٢. عملية تحديد طلب المستهلكين وتشجيع اعمال البيع وتدبير سبل التوزيع .

٣. وظيفة للادارة تنظم وتوجّه جميع نشاطات المؤسسة التي لها علاقة بتقييم قوة المستهلك الشّرائية وتحويلها الى طلب فعليّ للسلعة او الخدمة المعيّنة ، وبنقل السلعة او الخدمة الى المستهلك او المنتفع النهائي لتحقيق هدف الرّبح المقرر او الغايات الاخرى التي وضعتها الشركة .

٤. ايجاد المستهلك القانع وتلبية حاجاته .

Marketing Plan **خُطّةُ التّسْويق**

وضع اهداف المؤسسة بصورة منهجية وطرق التنفيذ الخاصة بها لتحقيق نتائج مربحة من توزيع وبيع سلعة أو خدمة معيّنة .

Marketing Research **بَحْثُ التَسْوِيق**

تجميع وتسجيل وتحليل جميع الحقائق عن المسائل المتعلقة بنقل البضائع والخدمات وبيعها من المنتج الى المستهلك . وهو يشمل بحث المنتجات والخدمات (كتقييم المنتجات الجديدة والمنافسة) وبحث حالة الاسواق (كمعرفة حجمها واماكنها وطبيعتها) وبحث اساليب البيع والتوزيع وحالة الاعلان (كاختيار وسائل الاعلان ومعرفة فعَاليتّها) . كما يشمل بحث حالة السوق (انظر : MARKET RESEARCH) ، ولكن له مدلولاً اوسع من هذا الاخير .

Markhov Chain **سِلْسِلَةُ ماركوف**

تعبير رياضيّ يستخدم البحث الخاص بالتشغيل ونظرية التصفيف لوصف سلسلة من الاوضاع او الحالات التي تعتمد كل واحدة منها على سابقتها ، اي ان احتمال وقوع نتيجة ما لحادث معيّن تقرّره النتيجة الناجمة عن الحادث الذي سبقه .

Mark-up **الرِّبحُ الإجْمَاليُّ**

الفرق بين تكاليف الشّراء او الانتاج وبين اسعار البيع . اي الرّبح الاجماليّ المتحقق من سلعة واحدة .

Mass Production **الإنْتَاجُ بالجُمْلة**

طريقة الإنتاج بكميات كبيرة تتميز بدرجة عالية من التخطيط والتخصص فيما يتعلق بالمعدات والآلات والايدي العاملة . انظر ايضاً : LINE PRODUCTION و FLOW PRODUCTION .

Master Clerical Data (MCD) **بياناتُ الأعْمالِ الكتابيّة الرَّئيسية**

كاتالوج يحتوي على الاوقات المحدّدة للحركات سلفاً (العناصر الاساسية) المطلوبة لأداء الاعمال الكتابية . وهناك ثلاث عشرة فئة من العناصر القياسية التي تصف اعمال المكتب . وهذه يعبّر عنها بمئة الف وحدة من وحدات قياس الوقت (TMU) في الساعة .

Master Standard Data (MSD) **البياناتُ القِياسيّةُ الرَّئيسيّةُ**

شكلٌ مُبسّطٌ من أشكال طريقة الوقت المحدد للحركة سلفاً (انظر PREDETERMINED MOTION TIME) .

Materials Handling **مُناوَلَةُ المَوَادّ**

دراسة جميع نواحي حركة المواد بهدف تخفيض الجهد وزيادة الكفاءة الى اعلى حد ممكن . وتشمل المناولة استعمال الأجهزة الناقلة والسيارات المزوّدة بدوافع ذات شعب وغير ذلك .

Mathematical Programming **وضعُ البَرْنامجِ بالطّرق الرِّياضيّة**

تعبير عام يشمل عدداً كبيراً من الطرق الرياضية النموذجية التي تستخدم في البحث الخاص بالتشغيل لمعالجة المسائل المتعلقة بتخصيص الموارد بهدف ايجاد حلّ أمثل لها . من هذه الطرق : طريقة تقدير ومراجعة البرنامج (PERT) ، ووضع البرنامج الخطي (LINEAR PROGRAMMING) ، ووضع البرنامج بأعداد صحيحة (INTEGER PROGRAMMING) ، وعمليات ماركوف (MARKHOV PROCESSES) . ويعرف ايضاً باسم «وضع البرنامج بالطّرق العلمية» .

Matrix Management **الإدارةُ الأمُّ**

تعيين موظفين متخصصين في خدمات الادارة في اماكن غير مركزية . ويضطلع هؤلاء الموظفون بمسؤولية مزدوجة : مسؤولية تجاه الادارة المحلية عن الاعمال اليومية ، ومسؤولية تجاه الموظف المختص في المكتب الرئيسيّ فيما يتعلق بالنّواحي الوظيفية .

MCD: Master Clerical Data **اختصار : بياناتُ الأعْمالِ الكِتَابيّة الرَّئيسيّة**

(انظر العبارة في مكانها) .

Mean **المُتَوَسّطُ**

انظر : AVERAGE

Measured Day Work **عَمَلُ اليوم المَقيس**

نظام لدفع الاجور الثابتة المتعلقة بالإنتاج بتحديد اوقات قياسية تجري مراجعتها بصورة منتظمة . وتحدد الاوقات القياسية هذه بطرق قياس العمل العاديّة ، وتجري عمليات الفحص المنتظمة لمقارنة الاداء الفعليّ بالمقياس النموذجيّ .

Median **العَدَدُ المُتوسّطُ**

قياس المعدل الذي يمثّل القيمة المتوسطة في صفيف او سلسلة عددية . ففي السلسلة التالية المكوّنة من ٥ قيم هي : ٥ و٦ و٨ و٩ و١١ ، يكون الرقم الاوسط ، أي ٨ ، هو « العدد المُتَوسّط » .

Mediation **التّوسّطُ**

انظر : ARBITRATION

Memo Motion التّصْوِيرُ البَطِيءُ

شكل من اشكال التصوير بالتفاوت الزمني لتسجيل نتائج دراسة الاساليب على فلم ، وفيه تسّجل العملية المعنيّة بكاميرا سينمائية معدّة لأخذ الصور بسرعة بطيئة (صورة واحدة كل ثانية مثلاً) ، ثم تعرض هذه الصور بالسرعة العاديّة بمعدّل ١٦ صورة في الثانية .

Memorandum of Association عَقْدُ التّأسِيس

وثيقة تبيّن المعلومات الاساسية عن الشركة واهدافها . وهي تشتمل على الاسم والعنوان والأهداف والرّأسمال كما تشتمل ، حيثما يلزم ذلك ، على بيان ويُذكر فيه أن مسؤولية الاعضاء محدودة. انظر ايضاً : ARTICLES OF ASSOCIATION

Memory الذّاكِرَةُ

انظر : STORE

Merchandising تَصْرِيفُ البِضَاعة

١. التّخطيطُ والإشرافُ اللّذان ينطوي عليهما تسويق بضاعة أو خدمة معيّنة في الأماكن والاوقات وبالاسعار والكميات الّتي تساعد على تحقيق اهداف المؤسسة الخاصة بالتسويق . وهذا العمل يطبق عادة في متاجرة الاقسام والبضائع المتنوعة .

٢. ترويج المبيعات بعرضها عرضاً جذاباً والاعلان عنها في مكان البيع .

Merger الإدْغام

انظر : AMALGAMATION و TAKE-OVER BID

Merit Rating تَقْدِيرُ الجَدَارة

تقييمٌ منهجيٌّ لسلوك ومقدرة الموظفين في اعمالهم ، وهو يُبنى عادة على عوامل معيّنة كقدرة الموظف على العمل ومدى الاعتماد عليه ومحافظته على الوقت وتمتّعه بصفة القياد وغير ذلك ، وكثيراً ما يُوفّر هذا التقدير أساساً لمراجعة راتب الموظف وتقييم امكاناته الشخصية ومهارته بهدف ترقيته في المستقبل . ويجوز استخدامه ايضاً لتحديد المجالات التي يحتاج فيها الموظف الى مزيد من التدريب لتطوير قدراته .

Methectics المَنْهَجِيّةُ

انظر : GROUP DYNAMICS

Microeconomics

الأسْلُوبُ — Method

١. خُطّةٌ لسلسلة من النشاطات المتعلقة بعضها ببعض التي تحدد تتابع العمليات الضرورية والموارد والمعدات التي يجري استعمالها.

٢. مُخَطّطٌ او إجراء لتسيير العمل او انجازه، وكثيراً ما يكون مرادفاً لعبارة «الإجراء والمنهج».

هَنْدَسَةُ الأساليب — Methods Engineering

١. اصطلاحٌ امريكي ابتكره مجلس هندسة الاساليب لوصف فرع من فروع الهندسة الصناعية يُعنى بدراسة الاساليب.

٢. يستعمل الاصطلاح احياناً بمعنى مرادف لاصطلاح دراسة العمل (انظر: WORK STUDY) وعبارة التنظيم والاساليب (انظر: ORGANIZATION AND METHODS).

دِراسَةُ الأسَاليب — Method Study

التّسجيلُ المَنْهَجيّ والتّحليلُ والفحصُ الانتقاديّ لطرق انجاز العمل، القائمة منها والمقترحة، كوسيلة لتقدير وتطبيق اساليب اسهل واكثر فعَاليّة وتخفيض التكاليف. انظر ايضاً: METHODS ENGINEERING و WORK STUDY.

قِياسُ وَقْتِ الأسَاليب — Methods Time Measurement

طريقة لوضع قياسات لاوقات الحركات في العمل سلفاً ابتكرها مجلس هندسة الاساليب (في الولايات المتحدة الامريكية)، وتحلّل بموجبها العمليات اليدوية واساليبها الى الحركات الاساسية اللازمة لادائها. وبهذه الطريقة يُخصص وقت قياسيّ محدّد سلفاً لكل حركة اساسية حسب طبيعة الحركة والظروف التي تجري فيها. وهناك تسع حركات رئيسية معتمدة في طريقة قياس وقت الأساليب وهي: الوصول الى الشيء، والامساك به، وتحريكه، وقلبه و/او الضغط عليه، ووضعه في شكل ملائم، وفصله عن مكانه، ومراقبته بالعين، وحركة الساقين والجسم.

الأقتصادُ الخَاصُّ — Microeconomics

فرع من فروع الاقتصاد يهتم بكل شركة من الشركات على حدة وبمحصولها وتكاليفها وانتاج واسعار كل صنف من السلع واجور الافراد العاملين فيها وغير ذلك، بخلاف الاقتصاد العام (MACROECONOMICS) الذي يُعنى بالقيم الأجماليّة المتعلقة بانتاج المجتمع ككل واستهلاكه ودخله.

Micromotion Analysis

تحليلُ الحَرَكاتِ الدَّقيقة

في دراسة العمل ، تعني هذه العملية فحصاً دقيقاً للرسم البياني الذي يمثل دورة الحركات المتزامنة (انظر : SIMO CHART) ، يتم عن طريق مراجعة الفلم السينمائيّ المأخوذ لعملية أو وجه من اوجه النشاط صورة صورة .

Middle Management

الإدارةُ الوُسْطى

تعبير غير دقيق يستخدم عادة لوصف الاشخاص المسؤولين عن تنفيذ وتفسير السياسات والمسؤولين عادة عن اعمال الاقسام او الدوائر .

Middleman

الوَسِيْطُ

تعبير شائع الاستعمال يصف عموماً وظيفة الشخص الذي يقيم علاقة تجارية بين المشتري والبائع دون ان يقوم هذان الشخصان بالتعامل المباشر فيما بينهما .

Mode

المِنْوَالُ

تعبير إحصائيّ لقياس المعدل المُمثّل لاكثر القِيَم تكراراً بين السكان أو في عيّنة من العيّنات .

Model

نَمُوْذَجٌ

في الأبحاث الخاصّة بالتشغيل ، مجموعةٌ من العَلاقات القائمة بين القيم المتغيرة يعبّر عنها تعبيراً رياضياً ، وقد يعني النَمُوْذَجُ ايضاً نسبةً مادية تُحاكي مجموعة من الاحداث الواقعية .

MODI: Modified Distribution

اختصار : التَوْزِيعُ المُعدَّلُ

شكل مُبسَّط من اشكال طريقة وضع البرنامج الخطّيّ .

Modular Production

الإنتاجُ المِعْيَارِيّ

القدرة على التصميم وصنع قِطَع ذات ابعاد قياسية منسّقة بحيث يمكن تجميعها معاً في اكبر عدد ممكن من الطرق . والفكرة الاساسية التي تنطوي عليها هذه الطريقة هي اجراء جرد للقطع التي يمكن استعمالها في منتجات كثيرة مختلفة .

Motion Economy

Monopoly **إحتِكارٌ**

حالة تقوم فيها شركة واحدة (او الدولة) بمراقبة مصدر من مصادر التوريد ، وبالتالي اسعار المواد او البضائع المصنوعة . انظر ايضاً : CARTEL

Monte Carlo Method **أسلُوبُ مونت كارلو**

طريقة من طرق البحث الخاص بالتشغيل . وهي عبارة عن اسلوب لمحاكاة حالة معيّنة بعبارات رياضية وتجربة عدد كبير من الحالات البديلة بطريقة عَشْوَائِية . وهذه الطريقة تستخدم نظرية الاحتمال والإحصاء لوضع نماذج شبيهة بالحالة الحقيقية ضمن حدود معيّنة . وهي تطبّق على حلّ المسائل التي تنطوي عليها نظرية التصفيف والعاب الادارة .

Moonlighting **الجمعُ بينَ وظِيفْتَين**

اصطلاحٌ عَامِيٌّ يستعمل لوصف الموظف الذي يزاول وظيفتين في وقت واحد أو في اوقات مختلفة من اليوم او الاسبوع .

Morale **الرُّوحُ المَعْنَوِيّةُ**

١. موقف الموظف من آجره أو المؤسسة التي يعمل فيها ، أو من وظيفته او العلاقات التي تترتب عليها او من رئيسه وملاحظ الاشغال فوقه ومديره .

٢. الجو او الحالة التي تؤثر في نوعية الاداء الذي يتم عن طريق جهد مشترك .

Morphological Analysis **التّحلِيلُ التشكّلي**

طريقة لادراج وفحص جميع العوامل الممكنة وجمع العوامل التي يمكن أن تفيد في حل مسألة معيّنة .

MOS: Management Operating System **إختصار : نظامُ التّشغِيلِ الإدارِيّ**

(انظر العبارة في مكانها)

Motion Economy **إقتِصادُ الحَرَكة**

مبادىء اقتصاد الحركة التي تُعنى بانجاز العمل بطرق اسهل و/او اكثر فعَالِيّة .

١. الحركات المتزامنة التي تقوم بها اطراف الجسم اثناء عملها في وقت واحد .

Motion Study

٢. الحركات المتماثلة التي ترتّب بحيث يمكن تأديتها على الجانب الايمن والجانب الايسر من الجسم .
٣. الحركات الطبيعيّة التي تستفيد افضل استفادة من شكل ووضع اعضاء الجسم التي لها علاقة بالعمل المطلوب .
٤. الحركات المنتظمة والترتيب الذي يشجّع على قيام تواتر طبيعيّ مع التكرار .
٥. الحركات الطبيعيّة المصمّمة لان تصبح عادة عن طريق التكرار الدقيق .
٦. الحركات المتواصلة التي تتخذ شكلاً سلساً ومنحنياً تفادياً لتغييرات حادة في الاتجاه .
٧. الحد الادنى من الحركات هو اقل عدد من الحركات التي تلزم للعمل وهو يعرف ايضاً بمميّزات الحركة السهلة .

دراسةُ الحَرَكة — Motion Study

تحرّي وقياس الحركات (ويجري جنباً الى جنب مع دراسة الاساليب) التي ينطوي عليها اداء أي عمل بهدف الحصول على اقصى كفاية ممكنة ببذل ادنى حد من الجهد . ولكن اصطلاح « دراسة العمل » في الوقت الحاضر اكثر استعمالاً في وصف دراسات الاساليب والحركة والوقت .

تَحليلُ وقْتِ الحَرَكَة — Motion Time Analysis (MTA)

نظام من انظمة دراسة الوقت المحدد للحركة سلفاً ابتكره شخص يدعى « سيفور » ، وفيه تعتبر القيم الزمنية المعنيّة هي الاوقات التي يستغرقها الخبراء في تأدية العمل . وهو يعيّن احدى وعشرين حركة مختلفة ويحدّد وقتاً قياسياً لبدء الحركة وآخر للحركة نفسها وثالثاً لايقافها . ويختلف الوقت الذي تستغرقه كل حركة باختلاف المسافة التي تقطعها .

بحثُ أساليبِ الاستشارة — Motivation Research

دراسة البواعث الواعية وغير الواعية التي تؤثر في قرارات الفرد . ويستخدم هذا الاصطلاح بصورة رئيسية في سياق الحديث عن التسويق .

المُعدَّل المُتحرِّك — Moving Average

النتيجة التي يتم الحصول عليها بجمع سلسلة من قيمتين او اكثر وقسمة المجموع على عدد المرات او الاحداث الواردة في السلسلة . وينتج من هذا ما يسمّى عادة بالمعدل او المتوسط . ويتم الحصول على المعدّل المتحرك بأخذ المعلومات المتعلقة بالفترة الاولى الخاصة بمجموع القيم

Multiple Asset Depreciation Accounting

الاول وابدالها بالمعلومات المتعلقة بالفترة التالية . وحينئذ يستعمل هذا المعدّل الجديد « المتحرك » مرة ثانية لايجاد معدل آخر . ويكوّن هذان المعدّلانِ وجميع المعدلات الاخرى التالية سلسلة جديدة من الارقام تسمّى بالمعدل المتحرك .

MSD: Master Standard Data **إختصار : البَيَانَاتُ القِيَاسِيَّةُ الرَّئِيسِيَّة**

(انظر العبارة في مكانها)

MTA: Motion Time Analysis **إختصارُ : تحليلُ وَقْتِ الحَرَكَة**

(انظر العبارة في مكانها)

MTM: Methods Time Measurement **إختصار : قياسُ وَقْتِ الأسَالِيب**

(انظر العبارة في مكانها)

MTM2 **إختصار : قياسُ وَقْتِ الأساليب**

شكلٌ مُبسّطٌ من اشكال طريقة قياس وقت الأساليب ولكنه اقل دقة منها ، وهو يجمع الحركات الاساسية التي تحتوي بصورة منطقية على نماذج من الحركات القياسية .

Multi Access **المَدْخَلُ المُتَعَدِّدُ**

انظر : REAL TIME

Multiple (Store) **المَتْجَرُ المُتَعَدِّدُ الفُرُوعِ**

مؤسسة تملك محلاّت للبيع بالمفرّق وتشغّل عشرة فروع منفصلة للبيع بالمفرق ، او اكثر .

Multiple Activity Chart **رسمٌ بَيَانيٌّ لأعمالٍ مُتَعَدِّدَة**

رسم بياني تسجّل فيه النشاطات الّتي يقوم بها اكثر من عنصر واحد من عناصر العمل (العمال او الآلات او المعدات) بمقياس زمني مشترك لاظهار العلاقات المتبادلة بينها . ويكون هذا الاصطلاح احياناً مرادفاً لاصطلاح الرسم البياني للفرد ــ الآلة . انظر : MAN-MACHINE CHART

Multiple Asset Depreciation Accounting **محاسبةُ استهلاكِ الأصُول المُتَعَدِّدَة**

طريقة لاجراء محاسبة الاستهلاك يسجل فيها أصلانِ او اكثر في حساب واحد . ووَفْقاً لهذه

Multiple Management

الطريقة ، تطبق نسبة استهلاك واحدة على جميع الاصول التي تنتمي الى مجموعة واحدة بصرف النظر عن اعمارها الحقيقية . وهي تعرف ايضاً بطريقة الاستهلاك الجماعيّ .

الإدَارَةُ المُتَعَدِّدَةُ
Multiple Management

اصطلاح مستعمل لوصف نظام الادارة «المشاركة» الذي ابتكرته شركة ماك كورمك في الولايات المتحدة الامريكية في الثلاثينات من هذا القرن . ويشتمل هذا النظام على اقامة مجلس ادارة ادنى ووضع برنامج للمشاركة في الارباح .

تحليلُ التَرَاجُعِ المتعدِّد
Multiple Regression Analysis

وسيلة إحصائية لقياس كمية التغيير في عنصر واحد من عناصر العمل ، التي تسببت عن التغييرات الحاصلة في عنصرين او اكثر من العناصر الاخرى . وفيها يجري حساب العلاقة الخطيّة القائمة بين تلك العناصر المتغيّرة ، وقد تستخدم ايضاً للتنبؤ بالتغيير الذي سيطرأ على احدها نتيجة تغيير يقع في واحد او اكثر من العناصر الباقية .

Net Profit Value

National Industrial Conference Board (NICB) **المَجْلِسُ الوطنيُّ للمؤتمرات الصناعيّة**

مؤسسة لا تستهدف الرّبح غايتها تقصّي الحقائق واجراء الابحاث في الاقتصاد وادارة الاعمال . تأسست في الولايات المتحدة الامريكية عام ١٩٣٦ .

National Institute of Industrial Psychology (NIIP) **الجمعيةُ الوطنيّة لعلم النّفْسِ الصِّناعيّ**

تأسست هذه الجمعية عام ١٩٢١ وهي تهتم بدراسة الناس اثناء العمل دراسة علمية . وهي تنشر مجلة (ربع سنوية) تدعى « مجلة علم النفس المهنيّ » .

Natural Wastage **النّقصُ الطّبيعيُّ**

الهبوط في عدد الايدي العاملة في مهنة معيّنة نتيجة للتقاعد او الوفاة او الانتقال الاختياريّ الى اي شكل آخر من اشكال العمل .

Net Current Assets **الأصُولُ الصّافيةُ الحاليّةُ**

الأصولُ الحاليّةُ ناقصةً الالتزامات الحالية ، اي الرأسمال العامل .

Net Margin **الحدُّ العامِلُ**

اصطلاح امريكيّ للرّبح الصّافي (انظر : NET PROFIT) .

Net Profit **الرِّبحُ الصّافي**

الرّبح الاجماليّ ناقصاً مصروفات التشغيل ، اي المصروفات التي تنفق لدفع الايجار والرّسوم والضرائب والاجور والرّواتب وتكاليف الإنارة والتدفئة والاستهلاك والفوائد على القروض وغير ذلك . ويعرف في الولايات المتحدة الامريكية باسم « الحد الصّافي » .

Net Profit Margin **حدُّ الرِبحِ الصّافي**

الربح من المتاجرة بعد حساب الاستهلاك كنسبة مئوية من مجمل حركة البيع .

Net Profit Value **قيمةُ الرِبحِ الصّافي**

طريقة لتقييم المشاريع التي تموّل بمصروفات رأسمالية ، وبموجبها تقدّر جميع المصروفات التي تنفق على المشروع والدخل الذي يتوقّع ان يحقّق منه ، وتحسم نسبة معيّنة لاظهار

النتائج بقيمها الحالية . والفرق بين « قيمة الربح الصافي » و « حركة النقد المحسوم » هو أنه يجب في العملية الاولى تعيين نسبة مئوية مناسبة عند بدء المشروع .

الرَّأسْمالُ العامِلُ الصَّافي — **Net Working Capital**

زيادةُ الأصول الحالية للشركة على التزاماتها الحالية .

القيمةُ الصَّافية — **Net Worth**

مفهومٌ في المحاسبة يشير الى زيادة القيمة الدفترية لجميع الاصول على الالتزامات . وفي حالة الشركات ، تكون القيمة الصافية هي حقوق المساهمين ، وهي عادة تساوي الرأسمال المستثمر في المؤسسة .

التّحليلُ الشّبكيُّ — **Network Analysis**

تعبير عام للطرق المستخدمة (كطريقة تقييم ومراجعة البرنامج ، وتحليل الاعمال الحرجة ، وخط التوازن ، وغير ذلك) في تخطيط المشاريع المعقدة تخطيطاً منطقياً ، وذلك بتحليل الاجزاء التي تتألف منها المشاريع وتسجيلها على رسم شبكيّ . ويمثل هذا الرسم الاعمال والاحداث المزمع انجازها على شكل رسم بيانيّ لسير الاعمال يُظهر الترتيب الذي خُطِطّت فيه والعلاقة المتبادلة بينها . وهو يعرف ايضاً باسم التخطيط الشبكيّ والتحليل الشبكيّ لسير الاعمال .

التّخْطيطُ الشّبَكيُّ — **Network Planning**

انظر : NETWORK ANALYSIS

مَنْفَعَةُ نيومن مورغنسترن — **Newman Morgenstern Utility**

مفهوم اقتصاديّ خاص بالاحتمالات في الاستثمار واتخاذ القرارات بشأن احوال النقد . ويفهم منه أن الحصول على نقد ولو بكمية صغيرة يكون عادة افضل من الحصول على النقد عن طريق المجازفة التي يمكن ان تصاحب عملية الاستثمار . انظر ايضاً : RISK YIELD

اختصارُ : المَجْلِسُ الوطنيُّ للمُؤْتَمرات الصِناعية — **NICB: National Industrial Conference Board**

(انظر العبارة في مكانها)

Normal Distribution

NICOL: 1900 Commercial Language

نيكول : « لغة تجارية ١٩٠٠ »

لغة مسجّلة بهذا الاسم التجاريّ لوضع برامج حاسبة آلية بسيطة .

NIIP: National Institute of Industrial Psychology

اختصار: الجمعيّةُ الوَطَنيّةُ لعلم النّفْسِ الصِناعيّ

(انظر العبارة في مكانها)

Norm

الوَسَطُ . المِعْيارُ

١. قد تكون الكلمة مرادفة لكلمة المعدّل (انظر : AVERAGE) او العدد المُتَوسّط (انظر : MEDIAN) .

٢. مقياسٌ او نُقطة اسناد .

Normal Distribution

التّوْزيعُ الطّبيْعيُّ

انظر : GAUSSIAN DISTRIBUTION

O & M: Organization and Methods إختصار : التّنظيمُ والأسَاليبُ

(انظر العبارة في مكانها)

Obsolescence بُطلانُ الاستعمال

انظر : DEPRECIATION

Ogive القوسُ الغوطيّ

اصطلاح إحصائيّ للمنحنى المستخرج من مجموعة مرتبة من المعطيات ومن تواتر التّوزيع .

OMTC: Organization and Methods Training Council إختصار : مَجْلِسُ التّدريبِ على التّنظيم والأسَاليب

تأسّس هذا المجلس في المملكة المتحدة عام ١٩٥٦ ، وهو هيئة مستقلة تكرّس جهودها لنشر وتقديم التّدريب على ادارة المكاتب بصورة فعّالة عن طريق دراسات التّنظيم والأساليب .

Oncost التّكاليفُ الإضافِيّةُ

انظر : INDIRECT COST

On Line تجهيزُ المُعْطَيَاتُ الفوريُّ

انظر : REAL TIME

Open Plan Office مَكْتَبٌ مَكْشُوفٌ

مكتب كبير يتكوّن في الغالب من طابق كامل ، ولا يكون مقسوماً الى غرف متفرّقة او بحواجز . والهدف من هذا المكتب هو تجميع اوجه النشاط والعمال في مكان واحد لتحقيق انسياب سلس للعمل وللاقلال الى ادنى حد ، من مساحة الحيّز المخصص للعمل الذي يضيع بسبب الحواجز . وهو يُعرف ايضاً بالكلمة الالمانية « بيرولاندشافت » (انظر : BUROLANDSCHAFT)

Open Shop مُنشأةٌ مفتوحةٌ

المؤسسة التي تستخدم موظفين ليسوا اعضاء في نقابة ، وهي عكس المُنشأةُ المُغلقة (CLOSED SHOP) .

Option

Operation Breakdown **تفصيلُ العَمَليَّةِ**

انظر : JOB BREAKDOWN

Operational Research (OR) **بَحْثُ التّشْغِيل**

اصطلاح عام لتطبيق الأساليب العلمية والرياضية التشخيصية التي تحلّل بواسطتها الحالاتُ وتُحل ّ المُعضلات التي تنشأ في مؤسسة ما . وهدف هذا البحث هو الاستفادة من جميع الحقائق المعروفة وتقديم اساس تحليليٍّ وموضوعيّ لاتخاذ القرارات بناء عليه . وهو يشمل استخدام طريقة وضع البرنامج الخطّي وطريقة التصفيف وأسلوب مونت كارلو والمحاكاة وغير ذلك . وهو يطبّق على مجالات معيّنة كمراقبة المخزونات والنقل والتخطيط ووضع جداول الانتاج وتخصيص الموارد وما شابه ذلك . والعملية معروفة في الاستعمال الامريكي باسم OPERATION RESEARCH

Operations Audit **تَدْقيقُ العَمَليّاتِ**

انظر : MANAGEMENT AUDIT

Operations Research **بَحْثُ العَمَليّاتِ**

اصطلاحٌ امريكيٌ . انظر : OPERATIONAL RESEARCH

Opportunity Cost **تكاليفُ الفُرَص**

مفهوم اقتصاديّ يصف تكاليف الفُرص الضائعة او البضائع او الخدمات البديلة المفقودة او فرص الاستثمار البديلة .

Option **الخيارُ**

عقد يعطي احد الفرقاء فيه الحق في ان يعمل شيئاً ما في تاريخ مستقبل حسب شروط يتفق عليها الآن . (كخيار الشراء "CALL OPTION" مثلاً في معاملات البورصة ، الذي يمكّن صاحبه من شراء سند ماليّ معيّن ، بالسعر السائد عند التقدم بالشراء ، خلال الاشهر الثلاثة التالية ، كما يمكّن خيار البيع "PUT OPTION" من بيع ذلك السند خلال المدة ذاتها بالسعر نفسه . اما الخيار المزدوج "DOUBLE OPTION" فيمكّن من القيام باي من هاتين العمليتين .

OR: Operational Research

OR: Operational Research **إختصارٌ : بحثُ التّشْغيل**

انظر العبارة في مكانها

ORACLE: Operational Research Analogue Computing and Logistics Equipment **اختصارٌ : مُعدّاتُ الحِسَاب والامداد بالقياس لأبحاث التّشغيل**

نوعٌ من الحاسبات الآليّة البسيطة التي تستعمل في اعمال التنبوء الإحصائيّ ومراقبة المخزونات .

Organization **التّنظيم . المُنظّمةُ**

١. هيكلُ المشروع الناشىء عن تقسيم العمل وتجميعه في وظائف اصلية وفي وظائف فرعية وعمليات .

٢. تستخدم الكلمة بمعناها العاميّ للتعبير عن موظفي الادارة التنفيذيين .

٣. عملية تقرير النشاطات والوظائف الضرورية في المشروع او الدائرة أو المجموعة ، وترتيبها وفقاً لأكثر علاقاتها الوظيفية فعَاليّة وتحديد سلطات ومسؤوليات وواجبات كل منها وتعيينها للافراد بهدف تنسيق الجهود وتوجيهها نحو هدف مشترك .

٤. ذلك الجزء من الادارة الذي يُعنى بتحديد بناء (أ) المسؤوليات التي تُوزَّع عن طريقها اعمالُ المشروع بين الموظفين الاداريين وموظفي الاشراف والموظفين الإخصائيين الذين يعملون في خدمة المشروع و (ب) العلاقات المتبادلة الرسمية القائمة بين الموظفين بفضل تلك المسؤوليات .

Organization and Methods (O & M) **التّنظيمُ والأسَاليبُ**

١. خدمة استشارية تقدّم للادارة مصممة بنوع خاص لمساعدتها في الحصول على اقصى حد ممكن من الكفاءة والدقة في التنظيم والاجراءات .

٢. تطبيق دراسة العمل وطرق الادارة الاخرى على اجراءات ونظم الادارة التنفيذية داخل الشركة .

Organization Chart **رسمٌ بيَانيٌ للتّنْظيم**

تمثيل تصويريّ للعلاقات والارتباطات الرسمية داخل المؤسسة وهو يصف خطوط انسياب السلطة والمسؤولين وشروط المراقبة التي توضع من اجل التّنسيق . وقد يشتمل هذا الرّسْم البيَانيُ على تفاصيل الواجبات الرئيسية التي تضطلع بها كل وظيفة من الوظائف .

Organization Planning

تَخْطِيطُ التّنْظِيم

تصميم الهيكل التنظيمي الاساسيّ للوظائف العليا وتحديد مجالاتها وسلطاتها ومسؤولياتها والعلاقات بينها . ويستخدم هذا التخطيط بنوع خاص لمراجعة هياكل الادارة في المستقبل فيما يتعلق بتطوير عمليات التنبوء داخل المؤسسة .

Organogram

رَسْمُ التّنْظِيمِ

اصطلاح يستخدم عادة للدلالة على رسم بيانيّ او مشروع خاصّ بالتّنظيم .

Outline Process Chart

رَسْمٌ بيَانيٌّ مُجْمَلُ للعَمَلِيّة

رسم بيانيّ يستعمل في دراسة العمل ، ويعطي صورة عامة للعمل ويسّجل العمليات الرئيسية فيه بالترتيب .

Outside Director

مُدِيرٌ خَارِجِيٌّ

عضو في مجلس الادارة يتولّى اية مسؤوليات في المؤسسة ، سواء أكان ذلك على اساس التفرّغ التام لها ام على اساس الاضطلاع بها لبعض الوقت ، اي ان دوره مقتصر على الاسهام في المسؤولية الادارية عن توجيه الشركة ولهذا لا يطلب منه الحضور الى العمل سوى في بعض المناسبات حسب الاقتضاء .

Overhead

التّكاليفُ الثّابِتةُ

انظر : INDIRECT COST

Pallets

Pallets | **مِنصّاتٌ نقّالةٌ**

صوانٍ مسطّحة باحجام وتصاميم مختلفة تستعمل لوضع الموادّ أو القطع عليها اثناء انتاجها او عندً نقلها الى المكان الذي تُنتج فيه وكذلك لمناولة المنتجات التامة الصنع . وكثيراً ما يجري تحريك هذه المنصات بواسطة سيارة ذات شُعَب رافعة . وهي تعرف ايضاً باسم « زلاّقات » SKIDS

Paper Tape | **شَريطٌ ورَقيّ**

شريحة من ورق خاص تثقب عليها المعطيات المدوّنة على شكل رموز بهدف تلقيمها للحاسبة الآلية أو لاية آلة اخرى لتجهيز المعطيات . ويختلف عرض الشريط باختلاف عدد الثقوب التي يمكن خرقها فيه ، واكثرها شيوعاً الشريط الذي يحتوي على خمسة أو ستة أو سبعة او ثمانية ثقوب بالاضافة الى ثقب التلقيم . وهو يعرف ايضاً بالشريط المثقّب او الشريط المخرّم .

PAPI: Personality and Preference Inventory | **إختصارُ : دِراسةُ الشّخْصِيّة والتّفْضيل**

انظر : PREFERENCE INVENTORY

Par (Par Value) | **القِيمةُ الأصْلِيّةُ**

السعر الذي تحمله الورقة المالية على وجهها ، وتسمّى احيانا « القيمة الاسمية » . وهكذا ، يقال عن القرض البالغ ١٠٠٠ جنيه استرلينيّ والذي يردّ الى الدائن بهذا المبلغ نفسه انه يسدّد بقيمته الاصلية (AT PAR) .

Parallel Running | **التّشْغيلُ المُتَوازِي**

تشغيل الحاسبة الآلية جنباً الى جنب مع الاجهزة التي كانت تستعمل في السابق وذلك اثناء فترة انتقالية قبل القاء الاعمال كلها على كاهل الحاسبة الآلية .

Parametric Programming | **وضعُ البَرْنامَج البارامتريّ**

طريقة رياضية تُعنى بتخصيص الموارد ، وهي تُستخدم في حالات يسمح فيها باعطاء المتغيّرات في معضلة ما قيماً مختلفة .

Pareto's Law | **قانون باريتو**

« قانون » ابتكره الاقتصاديُّ فلفريدو باريتو ، مفاده أن جزءاً صغيراً من مجموع الاجزاء ،

PEP : Programme Evaluation Procedure

في معظم اعمال المؤسسة ، يتسبّب في القسم الرئيسي من العمل والتكاليف والربح والمعايير الهامة الاخرى . وكثيراً ما يعبّر عنه بطريقة تصويرية (منحنى باريتو) ، ويعرف كذلك « بقانون الكثرة التافهة والقلة الهامة » و « بقاعدة الثمانين — العشرين » . انظر ايضاً :
MANAGEMENT BY EXCEPTION

Parkinson's Law **قانونُ باركنسون**

قانون مفاده « ان العمل يمكن امتداده ليملأ الوقت المتوفّر لانجازه » ، وقد ابتكره الاستاذ سي . نوركوت باركنسون وشرحه في كتاب يحمل هذا العنوان .

Payback Method **طريقةُ التّسديد**

طريقة لتقييم المشاريع التي تموّل بمصروفات رأسمالية ، يتم فيها مقارنة الدخل الاضافيّ أو المدّخرات المتوقعة بالنفقات الصافية ، وذلك بقسمة هذه النفقات على الدخل والمدخرات . فمثلاً ، اذا كانت المدّخرات البالغة ٢٠٠ جنيه استرليني قد تحققت من استثمار ١٠٠٠ جنيه استرليني ، فان الفترة التي سيتسدد فيها الرأسمال هي خمس سنوات . وتعرف هذه الطريقة ايضاً بطريقة استرجاع الرأسمال .

Pay-off Method **طَريقةُ استرجاعِ الرّأسمال**

انظر : PAYBACK METHOD

Payroll **كَشْفُ الرّوَاتِب**

١. سجّل بالموظفين وبالمبالغ التي يستحق دفعها كرواتب لكل منهم .
٢. يستخدم التعبير بمعناه الدارج للدلالة على مجموع الموظفين المستخدمين في المؤسسة .

PCQ: Productivity Criteria Quotient **إختصار : ناتِجُ مقاييس الإنتاجية**

انظر العبارة في مكانها

Peek-a Boo Cards **بِطاقاتُ الوَصْوَصَة**

انظر FEATURE CARDS .

PEP: Programme Evaluation Procedure **اختصار : إجراءُ تقييم البرْنامَج**

اسم يستعمل أحياناً لوصف « طريقة تقييم ومراجعة البرْنامَج » .

Perforated Tape

وهذه الاحرف ايضاً اختصار لعبارة "POLITICAL AND ECONOMIC PLANNING" ، اي التخطيط السياسيّ والاقتصاديّ ، وهي اسم لمؤسسة مستقلة تتولىّ القيام باعمال البحث .

Perforated Tape **الشّريطُ المُخرَّمُ**

انظر : PAPER TAPE

Performance Appraisal **تَقْييمُ الأداء**

تقييم منهجيّ لكل موظف على حدة بقصد تقدير أدائه في الماضي وامكاناته في المستقبل وراتبه . وهدف هذا التقييم هو تحسين الأداء الحالي وابراز المجالات التي يلزم التدريب فيها وتعيين المواهب الكامنة لدى الفرد لارتقائه في سلم الادارة .

Performance Rating **تَقْديرُ الأداء**

عملية مقارنة مستوى الاداء الفعليّ بعلامة ارشاد او فكرة محدّدة سلفاً عن أداء قياسيّ او محدّد كهدف .

Performance Sampling **مراقبةُ الأداء بالمُعاينة**

طريقةُ قياس العمل باخذ العيّنات عَشوائياً وذلك عن طريق ملاحظة مستويات جهود الموظفين وأدائهم لتقرير النسبة او السرعة التي يشتغل بها العامل مُقارَناً بالعامل « العادي » .

Period Cost **تكلفةُ المُدّة**

اصطلاح امريكي للتكلفة الثابتة (انظر : FIXED COST) .

Peripheral Equipment **مُعدّاتُ مُحيطية**

آلات مساعدة تستعمل مع الحاسبة الآلية ، كجهاز قراءة بطاقة الطابعة السريعة ووحدة الشريط المغنطيسيّ .

Perpetual Inventory **جَرْدٌ مُستمرٌّ**

نظام لتسجيل المخزونات بصورة مستمرة بحيث تكون كمية البضاعة من كل صنف معروفة في جميع الاوقات . وهذا النظام يسهّل عملية التحقق من الكميات الموجودة في المخزن فعلاً ، وبه يتفادى صاحب العمل اغلاق محلّه للقيام بعملية الجرد . وهو يعرف ايضاً باسم الجرد المتواصل او الجرد الدائم .

Personnel Management **إدارةُ المُوظّفين**

مسؤولية جميع الذين يديرون الناس وكذلك وصف عمل الأشخاص المستخدمين كإخصائيين. وهي ذلك الجزء من الادارة الذي يُعنى بالناس اثناء قيامهم بالعمل وبعلاقاتهم بعضهم مع بعض في المؤسسة . وهذا الفرع من الادارة يُعنى ايضاً باستخدام الموظفين واختيارهم وتدريبهم وتطوير كفاءاتهم وبالعلاقات بين صاحب العمل والموظفين وباحكام وشروط العمل والاجور والرواتب والادارة التنفيذية وشؤون الصحة والسلامة والرّفاه .

Personnel Rating **تَقْديرُ المُوَظّفِين**

انظر : MERIT RATING

Personnel Specification **مُواصَفاتُ المُوظّفين**

بيان بالصِّفات الشخصيّة التي يعتقد أنها ضرورية لاداء عمل او وظيفة بصورة فعّالة ، وذلك حسب استخلاصها من تحليل العمل او الوظيفة (انظر JOB ANALYSIS) ، وهذه الصفات تشمل : المعرفة المطلوبة ، والمقاييس والمؤهلات العلمية ، والخبرة السابقة ، والصفات الشخصية ، والمقدرة العقلية ، بالاضافة الى أية مميزات خاصة يُعتقد أن لها علاقة بالعمل . ويرى البعض حقاً أن مواصفات الموظفين مكمّلة او متمّمة لمواصفات الوظيفة (انظر JOB SPECIFICATION) .

PERT: Programme Evaluation and Review Technique **اختصار : طريقةُ تَقْييم ومُراجعة البرْنامج**

(انظر العبارة في مكانها)

Pie Chart **رسْمٌ بيانيٌّ دائِريٌّ**

رسمٌ بَيَانيٌّ مستديرٌ ومقسومٌ الى اجزاء تمثل فئات المعلومات على شكل نسب مئوية عادة . وهو يُعرف ايضاً باسم الرّسم البيانيّ القِطاعي .

Piecework **شُغْل بالقطعة**

١. اسلوب لدفع الأجر حسب النتائج يدفع بموجبه مبلغٌ مقطوعٌ محدّد عن كل وحدة من النتاج او عن اداء عمليه معينة .

٢. نظام للدفع تكون فيه الاجور مرتبطة ارتباطاً مباشراً بانتاج الموظف .

Planned Maintenance

Planned Maintenance **الصِّيانةُ المُخطّطةُ**

انظر : PREVENTIVE MAINTENANCE

Planning **التَخطيطُ**

١. رسمُ الخطوط العريضة للاهداف وطرق تحقيقها .
٢. الاجراء الذي يُتخذ لتلبية حاجات المستقبل باكثر الوسائل فعَالِيّةً على اساس الخبرة السابقة ، او على اساس تحليل المعلومات الخاصة بالتنبؤ والتي تبيّن العناصر المميّزة لحالات التشغيل المتوقعة .

Plant **مَعمَلٌ . مُنشأةٌ**

١. الآلاتُ والمُعَدَّات التي تستعمل في اي نشاط صناعيّ او تجاريّ .
٢. تستعمل الكلمة احياناً ، وخصوصاً في الولايات المتحدة الامريكية ، لتشمل ايضاً الارض والمباني .
٣. تعني الكلمة « أدوات المقاولين » عند استعمالها بمعناها الخاص للدلالة على المُعدات المستخدمة في الحفر واعمال الهندسة المدنية المماثلة .

Plant Layout Study **دِراسةُ تَخطيطِ المَعْمَل**

تحليل لجميع العوامل التي ينطوي عليها تقرير مواضع الآلات واماكن العمل والمعدات الثانوية ومرافق التخزين وسير العمليات والخدمات وتصميم النواحي الوظيفية للمباني التي تؤويها، وذلك لعمل مخطط من شأنه ان يُقلّل تكاليف الإنتاج الى ادنى حد ممكن .

Plant Register **سِجِلُّ الآلات**

سجل مصنّف للآلات يبيّن عادة تفاصيل عن اصلها واثمانها وتواريخ شرائها واستهلاكها وتكاليف إصلاحها واماكنها .

P.m.h.: Per man hour **اختصارٌ : عن كلّ ساعة – فرد**

اصطلاح يستخدم فيما يتعلق بالإنتاج .

PMTS: Predetermined Motion Time System **اختصار : نظامُ الوقت المُقرَّر للحركة سلفاً**

انظر العبارة في مكانها

Point of Sale

Point of Sale — **نُقطةُ البَيْع**

المكان الذي تتم فيه عملية الشراء النهائية ، كمنضدة في محل البيع بالمفرق .

Points Rating Method — **طَريقةُ التّقدير بالنُقَط**

طريقة لتقدير الوظيفة بواسطة تحليل اجزاء عناصرها تحليلاً مفصلاً . وبموجبها يوصف كل عنصر بدقة ويخصّص له نطاق من القيم التي يعبّر عنها بالنقط ، ليمكن تقدير كل وظيفة تقديراً عددياً ضمن النطاق المقرّر .

Policy — **سِياسَة**

١. دليل لتنفيذ الاجراء .

٢. بيان يتضمّن المقاصد الرئيسية او المبادىء او الاهداف البعيدة المدى التي توفر الاساس للتخطيط المفصّل والاجراء التنفيذيّ .

Predetermined Motion Time System (PMTS) — **نِظامُ الوقتِ المقرّر للحركة سلفاً**

يُطلق هذا الاسم على اي نظام لقياس العمل . ويتضمن هذا النظام قائمة بالحركات اللازمة لإنجاز الأعمال اليدوية او الكتابية والاداء القياسيّ لانجاز كل حركة . وفيما يلي عددٌ من الانظمة الخاصة بالوقت المقرّر للحركة سلفاً :

METHODS TIME MEASUREMENT (MTM, MTM_2)	قياسُ وقت الأساليب (وقياس وقت الاساليب ٢)
MOTION TIME ANALYSIS (MTA)	تحليلُ وقتِ الحَرَكَة
DIMENSIONAL MOTION TIME (DMT)	وَقْتُ أبعاد الحَرَكَة
BASIC MOTION TIME STUDY (BMT)	دِراسةُ وقتِ الحَرَكة الاساسيّ
MASTER STANDARD DATA (MSD)	البياناتُ القِياسيّةُ الرّئيسيّةِ
WORK FACTOR SYSTEM	نظامُ عَناصِر العَمَل
PRIMARY STANDARD DATA	البيانَاتُ القِياسيّة الأوّلِيّة
MULLIGAN SYSTEM	نظامُ مليغن

Preference Inventory (PAPI) — **دِراسةُ التّفضِيل**

نظام امريكي لاختبار شخصية الفرد وميوله في الاختبار .

Premium Bonus System **نظامُ المكافأة الزّائِدة**

نظامٌ تشجيعيٌّ يقسم فيه الرِّبح المتحقق من الانتاج الزائد بين الموظفين وصاحب العمل بنسب متفق عليها .

Present Value Method **طريقةُ القيمة الحَاليّة**

طريقة لتقدير المشاريع التي تموّل بالمصروفات الرأسمالية ، مبنية على اساس تعديل حركة النقد المعدّل (انظر DISCOUNTED CASH FLOW METHOD) ، وتعتمد نسبة مناسبة للفائدة عند بدء المشروع .

Preventive Maintenance **الصِّيانَة الوِقائيّة**

المعاينة الدوريّة للآلات والمعدات في اوقات محدّدة سلفاً للإخطار بحالات الاستهلاك او لكشف واصلاح الاجزاء او الاوضاع المختلة والغرض منها اجراء الصيانة اثناء التشغيل بصورة دورية ومنتظمة بدلاً من اجرائها في أوقات خاصة لمعالجة حالات التعطل الفعلية عند وقوعها .

وهي تشمل ايضاً القيام بتزييت المُعدات المعنيّة دوريّاً وبصورة منتظمة وَفقاً لاحتياجاتها المحدّدة سلفاً .

Price Leader **السّعرُ الحَافِزُ**

وضع سعر لسلعة ما يؤدّي الى قيام شركات اخرى تزاول الصناعة نفسها بانتاج او تسويق سلع اخرى .

Priestman System **نِظام بريستمن**

نظام للمكافأة الإضافية الخاصة بدفع الاجور ، استخدمه في بادىء الامر بريستمن في مدينة « هل » عام ١٩١٧ ، وهو ينطبق على الموظفين الذين يعملون في مجموعات بحيث تدفع لهم مكافأة جَماعية بالاضافة الى اجورهم عن الوقت الاعتياديّ .

Primary Standard Data **المُعطَيات القِياسِيّة الاوليّة**

شكل من اشكال نظام الوقت المقرر للحركة سلفاً ، وهو وسيلة مبسّطة من وسائل قياس وقت اساليب العمل . وفيه يعبّر عن المعطيات كملّي دقائق (اجزاء من الف جزء من الدقيقة) في المئة بالقياس النموذجيّ البريطانيّ الذي نسبته ١٠٠/٠ .

Prime Cost **التّكلفةُ الأساسيّة**

إجماليُّ تكاليف المواد المباشرة والاجور والمصروفات المباشرة .

Principles of Motion Economy **مبادىء اقتصادِ الحَرَكة**

انظر : MOTION ECONOMY

Prior Charges **التّكاليفُ السابقةُ**

جميع انواع السّندات والاسهم الممتازة والاسهم الاخرى المعدّة لأن تدفع الفوائد والارباح عنها قبل فوائد وارباح الاسهم العاديّة .

Probability **الاحْتِمالُ**

ان وقوع معظم الاحداث لا يمكن التنبؤ به بالتأكيد . وهكذا تأخذ نظرية الاحتمال هذا الامر في حسابها وذلك بالتعبير عن الاحداث بعدد المرات التي تقع فيها ، وهذه تسمّى « بالاحتمالات » . واساس الاحتمال هو الماضي ، اي العدد المسجّل للمرات التي وقعت فيها الاحداث السابقة .

Problem Analysis and Decision Making **تحليلُ المُعضلاتِ واتخاذُ القرارات**

طريقةٌ ابتكرها سي. هـ. كبنر وب. ب. تريغو . وهي طريقة للتحليل والتدريب تمكّن المديرين من فحص الاساليب التي يستطيعون بها حل المعضلات واتخاذ القرارات فحصاً انتقادياً .

Procedure **إجْراء**

شكل أو تسلسل خاص من الاعمال والوسائل التي تُتّبع في العمل الإداريّ . وفي العادة يشكل عدد من « الاجراءات » نظاماً ، وفي بعض الاحيان تعتبر كلمات الاجراء والاسلوب والطريقة والنظام مترادفة .

Procedure Chart **رسْمٌ بيانيٌّ للإجراء**

رسم بيانيّ او مخطط يبيّن التسلسل العام للعمليات في اجراء كتابيّ : وهو نوع من رسم سير الاعمال ، الاّ ان الرموز الخاصة برسم سير الاعمال لا تستخدم فيه عادة .

Process Chart

Process Chart   رَسْمٌ بيانيٌّ للعملية

تمثيل تصويريّ لتسلسل الاحداث يصف عملية ما . وهذا الرسم يجعل تصوّر العملية ممكناً بصورة اسرع ويوفّر اساساً لفحصها وتحسينها عن طريق استعمال اساليب دراسة العمل . وتستخدم عادة في الرسوم البيانية للعمليات رموز لتسجيل طبيعة الاحداث التي تتكون منها العملية . انظر ايضاً PROCESS CHART SYMBOLS و FLOW PROCESS CHART .

Process Chart Symbols   رُموزُ الرَّسْم البيانيّ للعمليّة

رموز تستعمل لتسجيل طبيعة الاحداث . وهناك مجموعتان من الرّموز شائعتا الاستعمال وهي رموز الجمعية الامريكية للمهندسين الميكانيكيين (ASME) ورموز جلبرت . وتوصي جمعية المقاييس البريطانية باستعمال المجموعة الاولى .

المعنى	رموز جلبرت	رموز ASME
العملية : يدل الرمز على الخطوات الرئيسية في اسلوب العملية أو اجرائها . ويجري عادة تعديل او تغيير القطعة او المادة او السلعة المعنيّة اثناء العملية . اما في العمل الكتابي ، فان الرمز يعني أخذ المعطيات من استمارة خاصة بالمكتب او تدوين المعلومات فيها .	○	○
النقل : يدل الرمز على حركة العمل او المواد او المعدات بين مكان وآخر ، كما يدل في اعمال المكتب على نقل الاوراق من ملف الى آخر .	○	⇐
التّخزينُ الدَّائم : يدل الرمز على التخزين المراقب الذي يتم فيه تسليم المواد وادخالها في المخازن او صرفها منها وَفقاً لشكل من اشكال التفويض ، أو يدلّ على أن مادة من المواد قد استُبقيت لغرض الرجوع اليها عند الحاجة .	▽	▽
التخزين او التأخير المؤقت : يدلّ الرمز على تأخير في تعاقب الاحداث ، كتأخير عمل ما قيد الانتظار بين عمليتين متعاقبتين مثلاً ، او وضع شيء جانباً بصورة مؤقتة دون تسجيله	▽	◗

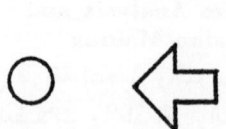

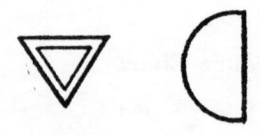

114

Production Control

حتى وقت الحاجة اليه ، كما يحدث في الاعمال المكتبية عند وضع الرسائل في الملف بانتظار التوقيع عليها .

المعاينة : يدلّ الرمز على اجراء المعاينة للتحقق من النوعية و/او الكمية . ويُستخدم في طريقة جلبرت رمزان مختلفان ، بينما يُستعمل في طريقة الجمعية الامريكية للمهندسين الميكانيكيين رمز واحد يفي بكلا الغرضين .

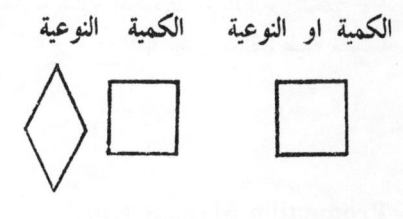

الكمية او النوعية
الكمية
النوعية

تَثمينُ المُنتجات **Product Costing**

طريقة للتثمين توزّع بموجبها التّكاليف التي تُكبّدت في صنع سلع عديدة او معالجتها او مناولتها على مختلف العمليات التي تتعلق مباشرة بكل سلعة و/او خدمة معيّنة .

تَنويعُ المُنتجات **Product Diversification**

إدخال منتجات بديلة او اضافية تقع ضمن نطاق غير نطاق السلع التي تنتجها الشركة حالياً .

مَزيجُ المُنتجاتِ **Product Mix**

مجموع اصناف البضائع التي ينتجها او يسوّقها المنتج او التي تبيعها مؤسسة للبيع بالجملة او بالمفرق .

تخطيطُ المُنتَجات **Product Planning**

وضع وتخطيط نطاق المنتجات التي يجري تسويقها حالياً وفي المستقبل .

الإنتاجُ **Production**

١. مجموع المراحل المتعاقبة التي تتغير فيها المادة من شكل الى آخر عن طريق استخدام الايدي العاملة والادوات والآلات حسب خطة معيّنة .
٢. صنع البضائع .
٣. كمية البضائع المصنوعة .

مُراقَبةُ الإنتاج **Production Control**

١. الاجراءات والوسائل التي تقرر بها خطط او برامج الصُّنع او التي تُوضع موضعَ التّنفيذ .

Production Management

وتشمل المراقبة إصدار التعليمات الخاصة بالتشغيل فيما يتعلق بالتوقيت والكميات وتواريخ انجاز العمل وجمع المعطيات وتسجيلها وتحليلها لضبط عملية الصنع وفقاً للخطط .

٢. الوظيفة الخاصة بتوجيه وتنظيم وتنسيق حركة المواد واستخدام الآلات والايدي العاملة فيما يتعلق بالكمية والنوعية والوقت والمكان ، ومقارنة النتاج المخطّط له بالنتاج المتحقق .

٣. تستخدم مراقبة الانتاج احياناً لتشمل تخطيط الانتاج ، مع انها تعتبر عادة وظيفة متممة للوظائف الاخرى .

انظر ايضاً : PRODUCTION PLANNING

Production Management — **إدارةُ الإنتاج**

١. تخطيط ومراقبة عمليات الانتاج والنوعية والكميات المنتجة وجميع الاعمال التي تقوم بخدمة الانتاج ، بما في ذلك شراء المواد التي تستعمل في الانتاج وصيانة الآلات والمعدات ، اي تخطيط ومراقبة جميع جوانب عملية الصنع .

٢. قد تشمل ايضاً المسؤولية عن القيام بوظيفة الهندسة الصناعية (انظر : INDUSTRIAL ENGINEERING) أو دراسة العمل (انظر : WORK STUDY) .

Production Planning — **تَخطيطُ الإنتاج**

وظيفة تُعنى بوضع حدود أو مستويات لعمليات الصنع في المستقبل ، وتأخذ بعين الاعتبار التنبؤات الخاصة بالمبيعات والاحتياجات من الايدي العاملة والآلات والمواد والاموال وتوافرها . انظر ايضاً : PRODUCTION CONTROL

Productivity — **الإنتاجيّةُ**

١. العلاقة بين محصول معيّن والوسائل المستعملة في انتاجه .

٢. البضائع والخدمات المنتجة في كل وحدة من وحدات الايدي العاملة والرأسمال أو كليهما .

Productivity Criteria Quotient (PCQ) — **حَاصِلُ مَقاييسِ الإنتاجيّة**

طريقة للمقارنة بين التغييرات النسبية التي تحدث في انتاجية الآلات في اوقات مختلفة . وبموجبها يوضع لكل نوع من الآلات عناصر هامة معينة تتعلق بتصميمها وانشائها ، يكون لها تأثير مباشر على كفاية الآلة في أداء عملها أداء حسناً . ويعطى لكل عنصر من هذه العناصر وزن قيمته ١ أو ٢ أو ٣ وتدرس بعد ذلك التغييرات الفعلية في تصميم وانشاء الآلة وتُدوّن

التحسينات التي تؤثر في الفعالية ، بينما تهمل تلك التي ليس لها اي تأثير في الأداء . والارقام الناتجة من حاصل مقاييس الانتاجية توفـّر مقياساً او تقديراً لمدى التغيير الحاصل في نوع معيّن من الآلات ، وذلك باجراء مقارنة بين هذه الارقام في مدى سنتين .

Profit and Loss Account **حِسابُ الأرباح والخَسائر**

موجز بالايرادات المكتسبة والمصروفات المتكبّدة في مدة محددة مما ينشأ عن حساب الربح (الزيادة في الايرادات) او حساب الخسارة (الزيادة في المصروفات) . وكثيراً ما يتّسع هذا الموجز ليشمل الضرائب المدفوعة عن الارباح وحصص الاسهم المعلنة ، ولكن هذه الحصص بمعناها الدقيق ، ما هي الا مخصّصات للربح ويجب قيدها في موجز منفصل يسمّى حساب التوزيع (انظر APPROPRIATION ACCOUNT) .

Profit and Loss Statement **بيانُ الأرباحِ والخسائِر**

انظر : INCOME STATEMENT

Profit Centre **مَرْكَزُ الأرباح**

اية وحدة في محاسبة التكاليف تعيّن او تخصّص الارباح لها . قارن العبارة بعبارة « مركز التكاليف » (COST CENTRE)

Profit Sharing **المُشارَكة في الأرباح**

نظام لدفع الاجور تسعى الشركة بموجبه لان تسمح لموظفيها بالمساهمة في ازدهارها مساهمة اكثر مباشرة ، وذلك بوضع جزء من الارباح جانباً لتوزيعه على الموظفين بنسبة اجورهم او حسب طول مدد خدمتهم في الشركة .

Profitability **المربحيّة**

١. نسبة الربح الى الرأسمال ، ويمكن في ابسط اشكالها ، معرفتها بقسمة الربح ، بعد حسم الضرائب ولكن قبل توزيع ارباح الاسهم ، على مجموع الاصول معبـّراً عنها بنسبة مئوية .

٢. وتستعمل الكلمة ايضاً مجازاً للدلالة على اي عمل يكون المردود منه اكبر من مجموع الموارد التي استعملت فيه .

Profitgraph **رسْمٌ بيانيٌّ للربح**

انظر : BREAKEVEN CHART

Programme/Program (US Spelling)

Programme/Program (US Spelling) **بـَرنامَجٌ**

١. تعني الكلمة ، حسب استعمالها العام ، ترتيباً محدداً سلفاً للاعمال او الاحداث او التطويرات المزمع اجراؤها في نتيجة متوقعة معيّنة .

٢. تعني ، في تجهيز المعطيات ، تعاقباً دقيقاً لتعليمات معبّر عنها بالرموز تلقّم للحاسبة الآلية العددية بهدف حلّ مسألة او تهيئة معلومات بواسطة جهاز مصمم لتجهيز المعطيات .

Programme Evaluation and Review Technique (PERT) **طريقةُ تقدير ومراجعة البـَرنامج**

طريقة متكاملة للتحليل الشبكي والرقابة تساعد الادارة على درس ومراقبة مشاريع الهندسة او التصميم او البحث او التنمية او الصنع عن طريق وضع الجداول للاعمال الحرجة . والغرض الرئيسي من هذه الطريقة هو تعيين الوقت الذي يتعرض فيه المشروع لخطر عدم انجازه في الموعد المحدد ، بدلاً من تعيين الموعد الذي يجب ان ينجز فيه . وكثيراً ما تشمل هذه الطريقة التنبوء بالموارد اللازمة لنجاح العمل المتوقع . انظر ايضاً : NETWORK ANALYSIS

Programme Evaluation Procedure (PEP) **إجراء تـَقدير البـَرنامج**

اسم يستعمل احياناً لوصف طريقة تقدير ومراجعة البرنامج (انظر : PROGRAMME EVALUATION AND REVIEW TECHNIQUE) .

Programmed Instruction **التّعليمُ المُبـَرمَجُ**

شكلٌ من اشكال عملية التعليم يقدّم فيه الموضوع في خطوات متعاقبة تمثل تحليلاً منطقياً لتقدم العمل المستمرّ اذا ما استوعبه الطالب استيعاباً صحيحاً ، أو لطرق التصحيح بواسطة اعادة التلقين اذا ما تعاـمه خطأ واجاب عن الاسئلة المتعلقة به اجابة مغلوطة .

Programming **وَضْع البـَرنامج**

١. العملية المنهجية لوضع الاجراءات والخطوات الواجب اتخاذها لتحقيق اهداف محددة بصورة فعّالة .

٢. اعداد تسلسل للتعليمات والمعلومات الثابتة المرتبطة بالموضوع والتي تؤدي بالحاسبة الآلية الى القيام بسلسلة مقررة سلفاً ومحدّدة من اعمال تجهيز المعطيات .

Progress Chart **مـُخطـّطُ بيَان التـَقدّم**

شكل من اشكال رسم غانت البيانيّ . وهو يستخدم في مراقبة الإنتاج لاظهار العمل المتجمع في وقت معيّن بالنسبة الى جداول مواعيد الانتاج .

Progress Chaser **مُتَتَبِّع التقدم**

شخص مستخدم في شركة عمله التعقيب على العمل الجاري في مختلف مراحله للتأكد من استمرار الانتاج بانتظام .

Public Relations **العلاقاتُ العامّةُ**

١. وظيفة من وظائف الادارة تُعنى بتقييم المواقف العامة والتوفيق بين سياسات المؤسّسة واجراءاتها وبين المصلحة العامة ، وبالقيام بالاعمال اللازمة لكسب قبول الجمهور ورضاه والتفاهم معه .

٢. النشاطات التي تهتم بتنمية احترام كبير للمؤسسة لدى الجمهور ، وذلك عن طريق (ا) القيام في الداخل باقناع الموظفين بان مؤسستهم مؤسسة جيدة و (ب) القيام في الخارج باقناع الجمهور عموماً بانها مؤسسة هامة ونافعة .

٣. الجهد المدروس والمخطط والمتواصل لاقامة تفاهم متبادل بين المؤسسة وجمهور الناس الذين تعمل بينهم ، والمحافظة على هذا التفاهم .

انظر ايضاً : IMAGE

Punch (ed) Card **بِطاقَةٌ مُثقّبة**

بطاقة دليلية تخرّم ويمكن تسجيل معلومات معيّنة عليها بفتح ثقوب وأسنان وشقوق فيها آلياً لجعل المعطيات مناسبة لتجهيزها باليد او بوسائل ميكانيكية او كهربائية . وهناك ثلاثة انواع رئيسية من البطاقات :

١. البطاقة المثقّبة آلياً ، وهي التي تثقّب وتجري مناولتها كلياً بوسائل ميكانيكية .

٢. البطاقة المثقّبة الابرية ، وتثقب يدوياً بواسطة ابر . وهناك نوعان منها ، البطاقات المسنّنة التي تحوّل الثقوب فيها الى اسنان مفتوحة حتى تصل الى حافة البطاقة ، والبطاقات المشقّقة التي يكون فيها الشق متصلاً بشق آخر بحيث يشكّلان شقوقاً داخلية ، وبهذا تظل حافات البطاقة سليمة .

٣. البطاقات المثقبة التي تفحص فحصاً بصرياً . انظر ايضاً : FEATURE CARDS

Punched Tape **شَريطٌ مثقّبٌ**

انظر : PAPER TAPE

Pyramid Structure Ratio Analysis

Pyramid Structure Ratio Analysis تَحليلُ نِسبة البِناء الهَرَمي
طريقة للتحليل المالي تستخدم النسب وبها تقاس الاسباب بصورة منتظمة من حيث كميتها ومقدارها ، ابتداء من امكانيات الربح في الشركة عامة ، وبهذا يمكن اجراء المقارنة بين الشركة المعنية والشركات الاخرى ، وكذلك بين الدوائر المختلفة في الشركة نفسها ، بالاضافة الى اجراء المقارنة بين الفترات المختلفة (وقد سمّيت هذه الطريقة بهذا الاسم لان شكل التحليل فيها مبنيّ على اساس البناء الهرمي الذي تنظم الشركات بموجبه) .

Quality Control **مُراقبةُ النّوعيّة**

اجراء لوضع مقاييس مقبولة تختلف بعضها عن بعض ضمن حدود معيّنة من حيث جودة المادة او الحجم او الوزن او الشكل النهائي أو الخواص الاخرى للبضائع او الخدمات ، وللمحافظة على هذه المقاييس .

Quartile **الرُّبْعُ الإحْصَائيّ**

تعني العبارة في تواتر التوزيع قياساً إحصائياً لتفريق البنود . وهناك ثلاثة انواع من الرُّبع الإحصائي وهي الربع الاسفل والربع الاوسط والربع الاعلى . ففي مجموعة مؤلفة مثلاً من ٤١ بنداً منسقاً في ترتيب تصاعدي من حيث مقاديرها ، يكون الربع الاسفل هو البند الحادي عشر ، والربع الاوسط هو البند الحادي والعشرون ، والربع الاعلى هو البند الواحد والثلاثون.

Questioning Attitude **مَوقفُ التَقصّي**

اصطلاح يصف الفحص الانتقاديّ لعمل او اجراء معيّن بتوجيه سلسلة من الاسئلة بصورة منهجية كالتالي : ماذا ؟ لماذا ؟ اين ؟ متى ؟ مَن ؟ كيف ؟ وهذا الموقف يؤلّف اساساً لدراسة العمل وتطبيقاً لطريقة التنظيم والاساليب لتبسيط العمل وتحسين الاساليب . وهو يعني ضمناً أنه لا يمكن اعتبار أي شيء من الاشياء امراً مسلّماً به . وهدف هذا الموقف هو الغاء كل عمل غير لازم وجمع العمليات معاً حيثما يكون ذلك ممكناً وتحسين تتابع الاعمال . وعند التوصل الى هذه المراحل الثلاث ، يمكن فحص طرق تبسيط الاعمال الباقية .

Quota Sampling **المُعاينَة بالكُوتا**

شكل من اشكال اخذ العيّنات يستخدم في بحث احوال السوق ، وفيه يترك للشخص الذي يجري مقابلات مع الناس امرُ تعيين عدد محدد من الاشخاص الذين سيقابلهم والذين يقررهم حسب الاعمار ومستويات الدخل وخواص مختارة اخرى . ويمكن تطبيق هذه الطريقة عند زيارة محلات البيع وكذلك عند زيارة الاشخاص .

RAMPS : Resource Allocation and Multi-Project Scheduling

RAMPS: Resource Allocation and Multi-Project Scheduling

اختصار : وَضْع الجداول لتخصيص المَوارد وللمشاريع المُتعددة

انظر العبارة في مكانها

R & D: Research and Development

اختصار : البحثُ والتَنمية

Randon Access

الوُصولُ العَشْوائيّ

الوصول الى مخزن الحاسبة الآلية لاختيار السجل التالي المطلوب اختياراً عَشْوائياً لتؤخذ المعطيات منه ، وهذا يعني قدرة الحاسبة الآلية على استرجاع المعطيات من المخزن بسرعة باي ترتيب كان .

Random Observation Method

طَريقة المُلاحظة العَشْوائيّة

انظر : ACTIVITY SAMPLING

Random Sampling

المُعايَنة العَشوائيّة

طريقة لأخذ العيّنات بدون محاباة يُعطى فيها كل فرد من مجموعة السكان فرصة متكافئة لاشتراكه في العيّنة من الناس التي يراد أخذها .

Range

النّطاقُ

تعني الكلمة في الإحصاء الفرق بين اكبر واصغر قياس لعدد من الافراد .

Ranking Method

طريقةُ تَقدير الرُّتَب

طريقة بسيطة من طرق تقدير الوظائف (انظر JOB EVALUATION) تصنّف فيها الوظائفُ في عدد من الدرجات او المستويات المحددّة سلفاً ، ابتداء من ابسط هذه الوظائف حتى اصعبها .

Rate of Return

نِسبَة المَردُوْد

طريقة بسيطة لتقدير المشاريع التي تموّل بمصروفات رأسمالية تقارن فيها نسبة المردود المتوقعة من توظيف الاموال المقترح بهدف محدد سلفاً . انظر ايضاً : RETURN ON CAPITAL

Rated Activity Sampling **تـقدير الفـعّـاليـّة بالمُعـاينة**

امتداد لطريقة مراقبة الفَعَاليّة بالمعاينة (انظر ACTIVITY SAMPLING) ، يوضع فيها تقدير لكل عنصر من عناصر العمل بحيث يمكن تقرير جميع محتوياته بالاضافة الى تقرير نسبةُ الوقت الذي استغرقته العمليات المختلفة او حالات التأخير .

Rating **التّقديرُ**

في دراسة العمل ، تقييم مستوى اداء العامل بالنسبة الى الفكرة التي لدى المراقب عن الأداء القياسيّ المتوقّع ، بهدف التوفير في عدد الايدي العاملة توفيراً فعّالاً . ويجوز للمراقب ان يقدّر أي اجراء على حدة أو مشتركاً مع عامل او اكثر من العوامل اللازمة لتنفيذ العمل ، كسرعة الحركة والجهد والتناسق وفَعَالِيّة الانتاج. انظر ايضاً : STANDARD PERFORMANCE

Rating Scale **مـيزانُ التـقدير**

سلسلة من الأدلّة العدديّة التي تُعطى لمختلف معدّلات العمل ، وهذا الميزانُ خطيٌّ . وهناك ميزانان شائعا الاستعمال يحسب « التقدير القياسي » فيهما بنسبته الى الاساس (٦٠ في الميزان الاول و ١٠٠ في الميزان الثاني) الذي يزداد الهدف المتوقع عليه بنسبة الثلث تقريباً (ليصبح ٨٠ في الميزان الاول و ١٣٣ في الميزان الثاني) . وهناك طريقة ثابتة وفقاً لمُحدّد المقاييس البريطانية (BSG) يستخدم فيها « نموذج » للدلالة على الانتاج المتوقع الذي يُهدف الى تحقيقه ، يعبّر عنه بالعدد ١٠٠ (اي ما يعادل ٨٠ أو ١٣٣ في الميزانين الاخيرين) انظر : STANDARD PERFORMANCE

Ratio-Delay Study **دِراسَةُ نِسبةِ التأخير**

انظر : ACTIVITY SAMPLING

Rationalisation **التّنظيمُ المَنطِقيُّ**

١. تطبيق المبادىء المتعلقة بالإدارة العلمية .

٢. تطبيق أسلوب دراسة العمل وطرق الادارة الاخرى على حالات العمل بهدف اجراء تحسينات في الكفاءة والفَعَالِيّة .

٣. عملية التغيير الدائم في جميع النواحي داخل المؤسسة او الصناعة .

٤. التّبْسيطُ .

Real Time **الوَقْتُ الحقيقيُّ**

ينطبق التّعبير على انظمة تجهيز المعطيات الكترونياً التي يتم فيها تجهيز المعلومات عن المؤسسة او الاحداث الصناعية بعد وقوعها فوراً . وعن طريق الانظمة التي يطبق فيها الوقت الحقيقي ، يمكن تجهيز المعلومات على الفور وتقديم تقارير حديثة بها حتى آخر دقيقة ، او اصدار تعليمات الى مراكز التشغيل الرئيسية في المؤسسة تُبنى القرارات وسياسة المستقبل على اساسها . وهو يعرف ايضاً باسم تجهيز المعطيات الفوريّ (ON LINE) والمدخل المتعدد (MULTI ACCESS)

Recall **قِياسُ الأستِجابة**

طريقة لاختبار أثر الاعلان للتحقق مما اذا كان الناس يتذكرونه ام لا . وتطبق هذه الطريقة عادة في شكلين ، الاول وهو قياس الاستجابة بالمساعدة وفيه يستعين المحقّق باسئلة أو امثلة معيّنة ، والثاني وهو قياس الاستجابة بدون مساعدة وفيه لا يُعطى المحقق اي دليل لبيان نوع الإعلان او السّلعة التي يجري التحقيق بشأنها .

Recovery of Expense **إسْتعادةُ النّفقات**

امتصاص التكاليف غير المباشرة في تكاليف الدوائر او السلع المعيّنة او وحدات الانتاج او مراكز التكاليف بتطبيق قاعدة مناسبة .

Red Tape **الرُوتينُ الحكوميِ**

تعبير عاميّ يُطلق على الأعمال الروتينية او الاجراءات الرسمية . وخصوصاً ما كان منها غير ضروري او معقداً بصورة زائدة .

Regression Analysis **تحليلُ التّراجُع**

طريقة رياضية تستخدم لتحديد العلاقة التي يمكن ان توجد بين المتغيّرات القابلة للقياس التي تجري ملاحظتها .

Remuneration **مُكافأة**

١. مكافأة على عمل او خدمة .
٢. مبلغ او تعويض يدفع زيادة على الأجر أو الرّاتب العاديّ .

Reordering Level/Quantity **المُستوى/الكميّة لإعادة الطّلب**

انظر : ECONOMIC ORDER QUANTITY

Reprography **النَسْخُ بالتّصوير**

العمليّات التي ينطوي عليها نَسْخُ المستندات بما في ذلك التّصوير والنسخ الفوتوغرافيّ وصنع اللوحات السلبية وغير ذلك .

Resale Price Maintenance **المُحافَظَةُ على سِعر البَيع**

قيام الصّانع بتثبيت الحد الادنى للاسعار التي تُباع بها البضائع الى المنتفع او المستهلك الاخير وفرضه عقوبات على من يخفض هذه الاسعار .

Reserve Fund **رَصيد الاحتياطيّ**

المبالغ الاحتياطية الموظّفة في استثمارات خارج المؤسسة والمُعدَّة بنوع خاص لاستعمالها في حالة الحاجة .

Resource Allocation and Multi-Project Scheduling (RAMPS) **وَضعُ الجَداول لتخصيص الموارِد وللمشاريع المتعددة**

طريقة للتخطيط الشبكيّ تعيّن أكفأ الوسائل لتوزيع الايدي العاملة والمواد وموارد النقد المستعملة في المشاريع العديدة التي يجري القيام بها في وقت واحد .

Responsibility Accounting **المُحاسَبَةُ المسْؤولَةُ**

جعل الموظّف التنفيذيّ مرجعاً في المسائل المتعلقة بالتكاليف ومسؤولاً عن النّتائج المالية للحقل الذي هو مسؤول عنه .

Restrictive Practices **الأساليبُ المقيّدة**

١. قيود على الإنتاج والسلع والخدمات والمبيعات والمشتريات وعلى المورّدين والمستهلكين والاسواق واعمال البحث وغير ذلك تفرض بموافقة مؤسسة واحدة او بالاتفاق بين مؤسستين او اكثر .

٢. طرق في العمل تقيّد الاستفادة من الموارد البشرية العاملة استفادة كاملة .

Return on Capital **مَرْدُودُ الرَّأسْمَال**

١. أرباح المتاجرة معبّراً عنها كنسبة مئوية من مجموع الرأسمال الموظف ، اي مجموع الاصول ناقصاً الالتزامات الحالية .

Revenue Expenditure

٢. المردود على رأسمال المساهمين ، اي ارباح المتاجرة ناقصاً المصروفات ، موضحاً كنسبة مئوية من مجموع الرأسمال الموظف ناقصاً الديون (وهذا قليل الاستعمال).
٣. المردود على اسهم رأس المال العادية ، اي مجموع الارباح ناقصاً المصروفات والفائدة ، وحصص الارباح الممتازة محسوبة كنسبة مئوية من رأسمال المساهمين ، ناقصاً الديون والرأسمال الممتاز .

Revenue Expenditure **مَصرُوفاتٌ إيْراديّة**

مصروفات نقدية تنفق للمحافظة على قيمة الاصول (كالاصلاحات مثلاً) او للحصول على ايرادات جارية (كالمواد الخام المشتراة ورواتب عمال المصنع) .

Rhochrematics **الرُوكرِماتيّة . دِراسةُ حَرَكَة المواد**

عملية انسياب السلع ابتداء من مصادر موادها الخام حتى وصولها الى المستهلك النهائيّ . ويشمل مفهوم العبارة وظائف الانتاج والتسويق الاساسية كنظام متكامل ، وينطوي على اختيار اكفأ الوسائل للجمع بين عمليات نقل البضائع وتصنيفها ومناولتها وتوزيعها . وهذه طريقة يعتمدها نظام متّسع الجوانب لمراجعة الحاجة الى وظيفة معيّنة من حيث اهداف النظام وتقرير تكاليفها واسهامها في الاعمال بنسبتها الى وظائف ضرورية اخرى . وتستخدم ، في عملية التحليل ، المحاكاة وطرق بحث التشغيل الاخرى .

Risk Yield **حَصِيلةُ المُجازفة**

تعبير مستعمل لوصف العلاقة بين حصيلة الاستثمار ودرجة المجازفة . فالحصيلة المنخفضة تكون في العادة مرتبطة بالمجازفة القليلة ، كما تكون الريبة مرتبطة بالحصيلة العالية . انظر ايضاً :
NEWMAN MORGENSTERN UTILITY

ROAM: Return on Assets Managed **اختصار : إدارةُ مردُود الأصول**

اصطلاح يستخدم كبديل لاصطلاح مردود الاستثمار او الرأسمال ، ويعني على وجه التحديد تركيز الانتباه على استثمار المال في الاسهم واقراض الدائنين عند تقدير الاقتراحات الجديدة الخاصة بالتسويق . وتقول ادارة مردود الاصول إن الاصول الحالية (الاسهم والدائنين) هي في اكثر الاحيان اكثر ثباتاً من الاصول الثابتة نفسها . وهناك حاجة الى اجراء تقدير للاقتراحات الخاصة بالتسويق لا من حيث تأثيرها في الايرادات والتكاليف فحسب بل من حيث تأثيرها على الاصول الحاليّة ايضاً .

Rucker Plan

ROL: Re-ordering Level

اختصار : المستوى لإعادة الطّلَب

انظر : ECONOMIC ORDER QUANTITY

ROQ: Re-ordering Quantity

اختصار : الكميةُ لإعادة الطّلَب

انظر : ECONOMIC ORDER QUANTITY

Round off

التَقريبُ

تغيير عدد مضبوط الى عدد اقل دقة بقصد حذف كسر عاديّ أو عشريّ منه .

Route Diagram

رسْمُ الطّرُق

انظر : FLOW DIAGRAM

Routine

الرُّوتينْ . الرَتَابة

١. سير العمل المتكرر في المؤسسة او الواجبات الرسمية الاخرى .
٢. الاجراء او الاسلوب الكتابيّ .
٣. فيما يتعلق بالحاسبات الآلية ، قائمة بالتعليمات الموضوعة بشكل رموز والمتعلقة بالحاسبة الآلية .

Rucker Plan

خُطّة رَكَر

مشروع تشجيعيّ يشمل مجموعة من الناس ويحق لجميع الموظفين الذين يتقاضون اجورهم بالساعة ان يشتركوا فيه . وفي هذا المشروع تقاس الزيادات في الانتاج قياساً دقيقاً كل شهر وتقسم الارباح الناتجة منها بين صاحب العمل والموظفين .

Safety Stock

Safety Stock **مَخزونُ الأمان**

انظر : BUFFER STOCK

Salary **الرّاتب**

تعويض ثابت يدفع في العادة اسبوعياً او شهرياً او سنوياً لقاء الخدمات المؤداة ، ويبنى عادة على اساس حد أدنى معيّن من ساعات العمل في اليوم أو الاسبوع .

Sales Budget **ميزانيةُ المَبيعات**

بيان كمّي ومالي يُعدّ قبل بدء مدة محدّدة من الزمن بالمبيعات التي ينبغي تحقيقها خلال تلك المدة .

Sales Coverage **تَغطيةُ المَبيعات**

العلاقة بين عدد الزبائن المحتملين في منطقة معيّنة وعدد الاشخاص الذين يستطيع البائع المتجول أن يزورهم في اكبر عدد ممكن من المرات ويبيعهم من بضائعه .

Sales Forecast **التّنَبّؤ بالمَبيعات**

تقدير المبيعات من حيث قيمها أو عدد وحداتها في فترة معيّنة في المستقبل . بموجب مخطط او برنامج مقترح للتسويق ووفقاً لمجموعة مفترضة من العوامل الاقتصادية وغيرها خارج الدائرة التي جرى التنبؤ بشأنها .

Sales Index **دليلُ المَبيعات**

رقم الإشارة القياسي المستعمل عند تقدير مجموع حجم السوق لسلعة او خدمة معيّنة (كعدد السكان ومنافذ البيع بالمفرق والسيارات المسجّلة والقيم التي يمكن تقديرها) .

Sales Management **إدارَةُ المَبيعات**

الاشراف على البيع وتنظيمه وتنسيقه مع الوظائف الاخرى في المؤسسة . وهي تشمل عادة :

١. بحث حالة الاسواق والمنتجات واساليب التوزيع .
٢. استخدام الباعة وتنظيمهم وتدريبهم والاشراف عليهم .
٣. الرّقابة على مناطق البيع والمصروفات .
٤. ترويج المبيعات .

Scatter Diagram

Sales Planning — تَخْطيطُ المَبيعات

وضع الإستراتيجية وتعيين الوسائل اللازمة لتحقيق الهدف الكلّيّ لاعمال البيع. ويشمل وضع مقاييس للاداء الخاص باعمال البيع والرقابة على الانجازات الاجمالية والفردية وعلى المصروفات.

Sales Policy — سِياسَةُ المَبيعات

هدف اعمال البيع المحدَّد في اية مؤسسة والوسائل التي تعتمدها في سبيل تحقيقه وتهيئة الاطار الاساسي الذي تقع ضمنه التنبؤات الطويلة الامد وتتم فيه عمليات البيع اليومية.

Sales Potential — إمْكانِيَّةُ المَبيعات

مجموع طاقة السّوق المقدَّرة لاستيعاب اي صنف من المنتجات او الخدمات.

Sales Promotion — تَرويجُ المَبيعات

١. عملية التسويق التي تهتم بتشجيع اعمال البيع وفَعَالِيَّة التوزيع، كترتيب المعارض وصالات الايضاح، ولكنها في العادة لا تشمل الاعلان.

٢. فيما يتعلق ببيع المفرق، جميع الوسائل لتشجيع الزبائن على الشراء بما في ذلك الاتصال بهم شخصياً والاعلان والدعاية.

Scanlon Plan — خُطَّةُ سْكَانْلُنْ

خطة تشجيعية جماعية يتفق الموظفون وصاحب العمل فيها على تكاليف قياسية للعمل مبنيّة على اساس الوحدة. واية مبالغ توفَّر من تخفيض هذه التكاليف تقسم بالتساوي بين الشركة صاحبة العمل وعمالها.

SCANS: Scheduling and Control by Automated Network Systems — اختصار: وَضْعُ الجداول والرَّقابة بواسطة اجهزة شبكيَّة اوتوماتيكيَّة

طريقة للتحليل الشبكيّ.

Scatter Diagram — رسْمُ التَفَرُّق

رسم بياني إحصائي يبيَّن فيه كل بند في توزيع او ترتيب معيَّن كنقطة منفصلة يقرر مكانها فيه حسب القيمة المعنيَّة لكل من العنصرين المتغيرين اللذين تجري دراستهما.

Scheduling

Scheduling **وَضْعُ الجَداوِلِ**

تقريرُ عدد المرات في المستقبل التي يجب ان تكمل فيها مهمات عمل محددة .

Schever System **نِظامُ شِيفر**

نظام الماني لتنظيم ومراقبة الانتاج ينطوي على استخدام الرسوم الجدرانية الخاصّة والاتصالات الهاتفية المباشرة بين المشغّلين في المصنع والموظفين المختصين بمراقبة الانتاج .

Scientific Management **الإدارَة العِلميّة**

١. وضع مجموعة من مبادىء الادارة مبنيّة على اساس دراسة عمليات الانتاج بصورة منهجية. وقد بدأها ف.و. تايلر في الولايات المتحدة في العقد الاخير من القرن التاسع عشر . وكانت هذه المبادىء ما يلي : (ا) يجب دراسة مختلف العمليات التي يؤدّيها الموظفون دراسة منهجية وتحليلية ، (ب) يجب تعيين كل عامل لنوع العمل الذي يناسبه على افضل وجه ، (ج) يجب ان يكون هناك تعاون بين الادارة والموظفين ، (د) يجب أن تُبنى المكافأة على اساس الاداء بالنسبة الى نماذج (مقيسة) محددة سلفاً .

٢. فلسفة الإدارة الفعّالة واساليبها ومبادئها .

٣. موقف الادارة واستخدام الطرق المنهجية لاكتشاف ووضع الاهداف والخطط والاجراءات والمقاييس ووسائل المراقبة .

Scientific Programming **وَضْعُ البَرنامج علمياً**

انظر : MATHEMATICAL PROGRAMMING

SDI: Selective Dissemination of Information **اختصار : نَشرُ المعلومَاتِ بطريقةٍ انتقائيةٍ**

انظر العبارة في مكانها

Second Generation **الجيلُ الثّاني**

الحاسبات الآلية التي تُستعمل فيها الترانزسترات والقضبان المغنطيسية ، وهي على وجه العموم اسرع من آلات الجيل الاول .

Sector Chart **رسْم بيانيّ قِطاعِيّ**

انظر : PIE CHART

Selective Dissemination of Information System (SDI) **نظامُ نَشر المعلومات بطريقة انتقائية**

نشر المعلومات بهدف تلبية الاحتياجات الفردية المحدّدة لموظفي الابحاث والتّنمية .

Semivariable Costs **التّكاليفُ شبهُ المتغيّرة**

التكاليف التي تظل ثابتة حتى نقطة معيّنة من الانتاج . ومتى تم الوصول الى هذه النقطة تبدأ هذه التكاليف تتغيّر بسبب الزيادة في الانتاج .

Sensitivity Training **التدرْيبُ على الحَساسيّة**

التدريب على التعاون والعمل الجماعيّ الخلاّق مع الناس الآخرين ، والتدريب في جماعات صغيرة بهدف زيادة « حساسية » للاختيار بين الامور التي تواجه الجماعات والافراد ، والسعي الى تشجيعهم على التفاهم الفعّال فيما بينهم .

انظر ايضاً : GROUP DYNAMICS

Sequential Sampling **المُعاينَة المُتعَاقِبَة**

شكل من اشكال خطة فحص النشاط بالمعاينة (انظر : ACTIVITY SAMPLING) يقتضي تقديراً مستمراً لكل حدث من الاحداث حال ملاحظته بدلاً من القيام بتقدير جميع الاحداث عقب وقوعها فقط . وتستمر ملاحظة وتقدير الاحداث حتى يتم التوصل الى مستوى معيّن من الدقّة جرى تحديده سلفاً (محسوب وفقاً لنطاق معين من الاحتمال) .

Service Bureau **مَكتبُ الخدَمات**

مؤسسة تقدم خدمات الحاسبات الآليّة او مرافق تجهيز المعطيات بتأجيرها على اساس وحدات الوقت .

Set-up Time **وَقتُ التّحضير**

الوقت اللازم لاعداد آلة (او عملية) للانتاج ، وهو يعرف ايضاً بوقت الاستعداد .

7-4-2-1 Code **رمز ٧ ـ ٤ ـ ٢ ـ ١**

رمز للجمع لا تُستخدم فيه سوى هذه الارقام . ففي البطاقات المثقّبة (كبطاقات كمبل مثلاً) تُمثّل كل من الارقام ٧ ـ ٤ ـ ٢ ـ ١ بثقب واحد بينما يُمثّل اي رقم آخر بمجموعة من ثقبين ، مثلاً ٣ = ١ + ٢ . ٥ = ١ + ٤ . اما الصفر فيمثّل بالرقمين ٤ + ٧ .

Shift

Shift النّوْبَة

فترة العمل القياسية . وتستعمل الكلمة بمعناها الدارج لتعني الموظفين الذين تتألف منهم القوى العاملة اثناء تلك الفترة .

Short-term Planning تَخطيطٌ قَصيرُ المَدى

وضْع خطة لفترة تالية تمتد من سنة الى ثلاث سنوات . وهي عادة خطة متحركة تُراجَع وتُعدَّل مرة كل ثلاثة اشهر خلال اول سنة من سنوات المستقبل هذه ، ثم كل ستة اشهر خلال السنتين الثانية والثالثة .

SI: Système International d'Unités اختصار : نِظامُ الوَحَدات الدُّوَليّ

انظر العبارة في مكانها

SIMO Chart: Simultaneous Motion Cycle Chart اختصار : رسْمٌ بيانيٌّ لدَورة الحرَكات المتزامنة

انظر العبارة في مكانها

Simplex Method الطَّريقةُ البَسيطةُ

نظام لوضع البرنامج الخطيّ يساعد على ايجاد الحلول عن طريق المعادلات الجبرية بحيث يكون عدد المعادلات اقل من عدد العناصر المجهولة في المعضلات المطلوب حلها .

Simplification تَبْسيطٌ

إزالة التنوّع غير الضروري في احجام واصناف منتجات خاصة . وهو يُعرف ايضاً باسم الاقلال من التنوع وتوحيد المقاييس .

Simulation مُحاكاة

١. تمثيل نظام او عملية بواسطة نموذج احصائيّ وعبارات مبسطة عادة ، ومعالجة ذلك النموذج كما لو كان حقيقة .

٢. وتستخدم ايضاً في النماذج الفنيّة/المادية للمعدات في عملية الايضاح والتدريب بهدف تبسيط الشرح .

Snap Reading Method

Simultaneous Motion Cycle Chart **رسْمٌ بيانيّ لدَورة الحرَكات المُتزامنة**

رسم بياني يبنى غالباً على اساس تحليل الافلام، وهو يستخدم لتسجيل اجزاء الحركة (التربلقات انظر : THERBLIGS) التي تقوم بها اقسام جسم عامل او اكثر في وقت واحد وعلى اساس مقياس زمني مشترك . وهو يعرف ايضاً باسم SIMO CHART .

Sinking Fund **احتِياطيٌّ استهلاَك القرْض**

رصيد يخصّص لتسديد دين في المستقبل . وينشأ هذا الرصيد بايداع مبالغ (متساوية عادة) بصورة دورية بفائدة مركبّة لتجميع مبلغ معيّن من المال في وقت معيّن في المستقبل لغرض محدد .

Skids **زَلاّقَات**

انظر : PALLETS

Slip System Accounting **مُحاسبة القَيد من المُستَنَدَات**

تعبير عام لاساليب المحاسبة التي يستخدم فيها المحاسب المستندات الاصلية كوسائل لقيد المبالغ في حسابات دفتر الاستاذ ، متفادياً بذلك تدوين القيود في الدفاتر المتوسطة واعادة نسخها . ودفتر الاستاذ الذي يجري القيد فيه من المستندات مباشرة هو شكل متطرف من اشكال هذا النظام تحفظ فيه « القسائم » الاصلية في ملف « للحسابات غير المدفوعة » الى ان يتم دفعها ، وعندئذ تنقل الى ملف « للحسابات المدفوعة » . وتنقل القيود التي تضاف الى ملف « الحسابات غير المدفوعة » الى حساب اجمالي . ويجوز تطبيق هذه الطريقة على دفاتر الاستاذ الخاصة بالمشتريات والمبيعات . وهي تعرف ايضاً بطريقة القيد من الملفات ونظام المحاسبة بلا دفاتر والمحاسبة بدون دفتر استاذ .

Snapback Timing **التوقيتُ السّريعُ**

انظر : FLYBACK TIMING

Snap Reading Method **طَريقة القِراءة السّريعَة**

انظر : ACTIVITY SAMPLING

Socio-Economic Group **مَجموعَةٌ اجتماعيّةٌ – اقتصاديّةٌ**

تصنيف للمستهلكين يُستخدم في بحث حالة السوق وتؤخذ فيه مكانة رب العائلة ومهنته ودخله بعين الاعتبار .

Soft Selling **البَيْعُ السّهْل**

البيع بمشقة اقل من تلك التي تواجه في البيع الصعب (انظر HARD SELLING) . ويستخدم التعبير احياناً عند احتمال نجاح البائع في اقناع الزبون المؤمّل بالشراء منه اكثر مما كان يُتوقع .

Software **الوَسائِلُ المَعنَويّة**

الوسائل غير المادية المساندة لعمل تجهيز المعطيات اوتوماتيكياً عن طريق الحاسبات الآلية كعمليات وضع الرموز والبرامج وتحليل الاساليب ، وهي عكس الوسائل المادية . انظر : HARDWARE

Span of Control **مَدَى الرّقابة**

عدد المرؤوسين الذين يعملون ضمن دائرة اختصاص مدير واحد .

Split Inventory **الجَرْدُ المُجزّأ**

انظر : ABC METHOD

Staff **موظفون استشاريون . موظفون**

١. الإخصائيون داخل المؤسسة الذين يقدّمون خدمات استشارية او مساعدة الى المديرين والمشرفين التنفيذيين دون ان يكونوا مسؤولين عن انجاز اهداف المشروع الرئيسية مسؤولية مباشرة .

٢. الاخصائيون الذين يقومون بالاعمال الوظيفية .

٣. الموظفون الذين يتقاضون رواتب ، بخلاف العمال الذين يتقاضون اجوراً .

Standard Batch Control **المُراقبةُ بالدّفَعات القِياسيّة**

نظام للطاب ، تطلب فيه دائماً المواد والاجزاء لمجموعات قياسية من السلع بدفعات من الحجم القياسيّ نفسه ، على ان تطلب دائماً الكميات اللازمة منها بحيث تفي بالمواعيد المقرّرة الخاصة بكل سلعة من تلك السلع .

Stock Control

Standard Costing **حِسابُ التّكَاليف القِياسيّة**

طريقة لمحاسبة التّكاليف تقرّر فيها سلفاً تكاليف السلع القياسية المنتجة بكميات محددة وفي ظروف معيّنة . وتقارن التكاليف الفعلية بالتكاليف القياسيّة ويحلّل الفرق (الاختلاف) بينها ليمكن اتخاذ الاجراء المناسب حيالها .

Standard Deviation **الانْحرافُ القِياسِيّ**

في التحليل الإحصائيّ ، الجذر التربيعي لمعدّل مربّع كميات الانحراف في جميع القياسات .

Standard Performance **الأداءُ القِياسِيّ**

متوسط نسبة الانتاج التي يحققها العمال المؤهلون عادة دون ارهاق انفسهم في يوم أو نوبة عمل ، شريطة أن يكونوا ملمّين بطريقة العمل المحدّدة ومتقيدين بها ، وان يكون لديهم الحافز على الاجتهاد في عملهم .

Standard Time **الوَقتُ القِياسِيّ**

كمية الوقت المقررة نتيجة لقياس العمل ودراسة الوقت ، كتلك التي تلزم الموظف المتوسط لاداء عملية او مهمّة محدّدة .

Statistical Quality Control **مراقبةُ النوعيّة الإحصائية**

تطبيق الطرق الرياضية والاحصائية والطرق الخاصة بنظرية الاحتمال لتقرير حدود الانحراف عن المقاييس النموذجية ومراقبتها .

Stochastic **اتفاقِيّ**

تشير الكلمة الى العَشْوائية في بحث التشغيل ووضع النماذج . وتُعنى النماذج الاتفاقية بالمصادفات واحتمالات وقوع الاحداث باعتبارها مجموعة واحدة .

Stock **بَضائعُ**

لوازم تتألف من مواد خام وسلع منجزة جزئياً وسلع تامّة الصنع .

Stock Control **مُراقَبَةُ البَضَائع**

الطّرق والأساليب المستعملة في حفظ قوائم مفصّلة بالمواد الخام والبضائع التامة الصنع وغير

Stock Record Card

ذلك على مستويات متناسقة مع جداول الانتاج المخططة والاحتياجات من المبيعات التي جرى التنبؤ بها . وكثيراً ما تكون هذه المستويات محدّدة سلفاً . وتعرف العملية ايضاً بمراقبة الكميات المخزونة .

Stock Record Card **بيانُ المَخزون المَوْجُود**

انظر : BIN CARD

Stock Turnover **دَوْرَةُ البَضَائع**

نسبة تكاليف المبيعات الى متوسط كمية البضائع الموجودة . وهي تدل على سرعة حركة البضائع او السلع في المؤسسة .

Stocktaking **جَرْدُ المَوْجُودَات**

تقدير دوري لجميع البضائع الموجودة في المؤسسة لاخذها بعين الاعتبار عند اقفال الدفاتر .

Store (of Computer) **مَخْزَنُ (الحاسبة الآلية)**

جهاز في الحاسبة الآلية يمكن ادخال المعطيات فيه وحفظها هناك ثم استردادها منه . وهو يعرف ايضاً بالذّاكرة .

Straightline Depreciation **النِسبَةُ الثّابتةُ للاستهلاك**

طريقة لحساب الاستهلاك تفترض أن قيمة المعدات تنقص من مدة الى أخرى بنسب متساوية .

Strategic Planning **التَخطيطُ الإستراتيجيّ**

عملية اتخاذ القرارات فيما يتعلق باهداف المؤسسة ، واستخدام الموارد وتطبيق السياسات من اجل تحقيق هذه الاهداف .

Stratified Sample **عيّنَة طِباقِيّة**

في تحليل حالة السوق ، عيّنة تكون فيها النسب في كل طبقة من السكان مشابهة لنسب كل طبقة من الطبقات الاخرى في مجموع السكان .

String Diagram رَسْمٌ خَيْطِيّ

مخطط بيانيّ او نموذج ذو مقياس يستخدم فيه خيط متصل لتتبّع وقياس مسار العمليات او العمال او المواد او المعدات وفقاً لتعاقب محدّد من الاحداث .

Subliminal Advertising الإعْلانُ اللاّشُعُوريّ

شكل من اشكال الاعلان مصمّم بحيث لا يدرك الزبون المحتمل أنه قد رآه او سمعه من قبل.

Subsidiary شَرِكَةٌ تَابِعة

شركة تكون لشركة اخرى فيها اكثرية الاسهم العادية التي يحق لحملتها التصويت ، او السلطة على تعيين اكثر اعضاء مجلس ادارتها .

Suggestion Scheme مَشْرُوعُ الاقتِرَاحات

مشروع او مخطط يُكافأ الموظفون بموجبه على الاقتراحات العملية التي يقدّمونها بهدف تحسين طرق أو نوعية الانتاج او تخفيض التكاليف او تحسين الاوضاع و غير ذلك.

Super Profits الأرْبَاحُ الزّائدة

انظر : GOODWILL

Supermarket مَتْجَرُ الخِدمةِ الذاتيّة

محل للبيع بالمفرّق فيه نقطتان او أكثر لخروج الزبائن منها بالمشتريات ودفع اثمانها ويعمل في الدرجة الاولى على اساس الخدمة الذاتية ، ويحتوي على انواع كثيرة من الاطعمة والحاجيات المنزلية . ويقتصر التعبير عادة على المحلات التي لا تقل المساحة المخصّصة فيها للبيع عن ٢٠٠٠ قدم مربعة .

Supervisor رَئِيسٌ . مُشْرِفٌ

١. مدير الصف الاول المسؤول عن مجموعة معيّنة من العمليات او النشاطات .
٢. كلمة مرادفة في بعض الاحيان لكلمة ملاحظ اشغال (انظر : FOREMAN) .

Swing Shift نَوْبَةُ المَسَاء

اصطلاح امريكيّ يدل على نوبة عمل مكوّنة من ثماني ساعات تمتد من الساعة ٤ بعد الظهر حتى منتصف الليل .

Switch Selling **البَيْعُ المُتجوِّل**

انظر : LEADER MERCHANDISING

Symbiotic Marketing **التّسْوِيقُ التّكَافليّ**

توحيد الموارد في شركتين مستقلتين او اكثر ، بهدف تحسين امكانات التسويق للشركاء المعنيّين ، امثلة على ذلك : الاتفاقيات الخاصة بمنح الرخص والامتيازات وعمليات ترويج الانتاج المشتركة واقامة مؤسسات مشتركة للبيع وغير ذلك .

Synectics **التّعاوُنُ الذِّهنيّ**

دمج الافراد في مجموعة واحدة لغرض قيامهم بعرض المعضلات وحلّها . وهذه طريقة منظمة بهدف اثارة التفكير الخلاّق .

Synthetic Time Standards **مَقايِيسُ الوَقت التركيبية**

انظر : PREDETERMINED MOTION TIME SYSTEMS

Synthetics **التّركِيبة**

اصطلاح دارج لمقاييس اوقات التشغيل المتألفة من عناصر التشغيل التي جرى قياسها سلفاً .

انظر ايضاً : PREDETERMINED MOTION TIME SYSTEMS

System **نِظَام**

١. ترتيب منطقي للمعطيات او الاشياء او الناس او المبادىء .
٢. دورة مترابطة ومنظمة للاساليب او الاجراءات .
٣. هيئة ينظر اليها من حيث مواقف الاشخاص الذين تتألف منهم والعلاقات المتبادلة بينهم .

Systematics **المَنهَجِيّةُ**

لغة لا علاقة لها بوضع البرامج يقصد بها تصميم وتحديد الانظمة التجارية للحاسبات الآلية التي يستعملها محللو الاساليب في وضع نماذج عن المعلومات بهدف تلبية احتياجات المنتفعين .

Système International d'Unités **نِظامُ الوَحَدات الدُّوَليّ**

جدول معترف به دولياً باسماء ووحدات قياس المساحة والحجم المتريّة الخاصة بالصفات

Systems Contracting

الطبيعية والفنية والمبنية على اساس منطقي علمي . وقد أقره المؤتمر الدولي للاوزان والمقاييس في عام ١٩٦٠ وأوصى بان تكون محتوياته مجموعة المصطلحات والانظمة المعتمدة عالمياً . ويشار اليه في جميع اللغات بالحرفين SI .

Systems Analysis **تَحليلُ الأساليب**

١. الفحصُ الانتقاديّ لنشاط او اجراء أو اسلوب أو طريقة لتقرير الغرض منها وكيفية انجاز العمليات الضرورية على افضل وجه . وتستخدم طريقة تحليل الاساليب ، بصورة أخص ويطبّق في الدراسة المفصلة للنشاطات والاجراءات وحركة المعلومات وتسجيلها بهدف وضع انسب الترتيبات لنقلها الى عمليات تشغيل الحاسبة الآلية .

٢. الدراسة الشاملة للاجراءات الخاصة بتجميع المعلومات وتنظيمها ونقلها وتقديرها بهدف تقرير ما يجب عمله تقريراً دقيقاً، وكيف وما هي الامكانيات المتوافرة للغرض المقصود ، واخيراً وضع نظام للمراقبة .

Systems and Procedures **الأنظمةُ والإجْرَاءات**

تعبير امريكيّ لاصطلاح التنظيم والاساليب (انظر : : ORGANISATION AND METHODS) .

Systems Contracting **اختِصَارُ الأنظِمة**

طريقة مبسّطة لاعادة طلب المواد المعدّة للاستعمال او الخدمات ، بصورة متكررة باقل ما يمكن من المصروفات الادارية . وقد ابتكرت هذه الطريقة شركة كاربورندم عام ١٩٦٢ . وتتناول طريقة اختصار الانظمة الاتفاقيات الطويلة الاجل بين المشترين والبائعين الخاصة باحتياجات محددة تشتمل عادة على اصناف متنوعة من المنتجات الموحدة القياس تورّد عند طلبها دون ضرورة التفاوض بصورة مثمرة على الشروط والاحكام .

Table A

Table A

الجدول «أ»

مجموعة نموذجية من مواد عقد التأسيس الخاص بتسجيل الشركات ، وهي معدّة وفقاً لنصوص قانون الشركات لعام ١٩٤٨ .

Take Home Pay

الرّاتِبُ المُوفّر

الرّاتِبُ الصّافي المتبقي بعد اجراء جميع الحسميات النظامية والحسميات الأخرى منه .

Takeover (Bid)

الاسْتِيلاء

العملية التي تشتري بها شركة التزامات شركة أخرى أو تحصل بها على وسائل مراقبتها ، بالتشاور مسبّقاً بين مجلسي ادارة الشركتين المعنيتين او بدونه. انظر ايضاً. AMALGAMATION

Tangible Asset

الاصلُ المادّيُّ

اصل يكون امّا مادّيّا او ماليّا بطبيعته ، كالآلة او السهم والحسابات الدائنة والاستثمارات .

Task Breakdown

تفْصيل المُهِمّات

انظر : JOB BREAKDOWN

Taylor System

نِظام تايْلَرْ

طريقة لدفع الاجور بالقطعة يزيد بموجبها المبلغ المدفوع كلما زاد العامل من سرعته في العمل ، بعكس طرق الدفع المبنيّة على اساس المكافأة الاضافية حيث يقل المبلغ المدفوع كلما تم انجاز العمل بسرعة اكثر . ولهذا فان نظام تايلر يعطي العامل السريع في عمله تشجيعاً اكبر حتى من ذلك الذي تعطيه الانظمة التي تعتمد اساس الاسعار المحددة للقطع .

TCP: Total Cost Approach to Distribution

اختصار : طَريقة معرفة مجموع تَكاليف التّوزيع

انظر العبارة في مكانها

Teaching Machine

آلَةُ تَعليم

جهاز لتقديم التّعليم والتدريس وفقاً لبرامج موضوعة ، بامكانه الحلول محل المدرّس . وهذا الجهاز ينقل المعلومات الى الطالب ويحثه على الاستجابة لهذه المعلومات بروح ناقدة . ويمكن

Therblig

للجهاز أن يعدّل تصرفاته على ضوء إستجابة الطالب بالاستناد الى مجموعة من الاجابات الموضوعة سلفاً بموجب برامج خاصة . انظر ايضاً : PROGRAMMED INSTRUCTION

Technometric Ratios **النّسَبُ التّكنُومِتْريّة**

انظر : MANAGEMENT RATIOS

Telecode **رَمزٌ بَعيد**

رمز يستخدم مع الشريط الورقي المثقّب للحاسبات والآلات الطابعة عن بعد .

Tender **عَطاء**

سعر يعرضه بائع محتمل على مشترٍ محتمل او بالعكس ، وذلك عندما لا يتمكن الفريق الذي بدأ بالصفقة من تحديد السعر بنفسه .

Theory X **النّظريّةُ**

الفكرة التقليدية عن التوجيه والمراقبة . وهي تشتمل على ثلاثة افتراضات وهي أن الانسان العادي يتهرب من العمل اذا استطاع ذلك ، وأنه يجب الضغط عليه وتوجيهه ، وأن لا طموح لديه وهو يفضل ان يتجنّب المسؤولية . وتؤدّي هذه النظرية الى فرض نظام مقيّد ورقابة ادارية دقيقة .

Theory Y **النّظريّة Y**

عكس النظرية X (انظر : THEORY X) . وهي تفترض ان الجهد الجسدي والجهد العقلي طبيعيّان في الانسان ، وأن المراقبة والتهديدات غير ضرورية لحمل الناس على العمل ، وأن القناعة الذاتية عامل هام ، وأن الناس يستطيعون أن يتعلموا تحمّل المسؤولية ، وأن القدرة على الإبداع صفة لدى الكثيرين من النّاس وأن الطاقات البشرية في الظروف التي تسود الحياة الصناعية لا يستفاد منها حالياً الاّ استفادة جزئية . وجميع هذه الافتراضات تؤدي الى ايجاد شكل متساهل من اشكال المراقبة الادارية .

Therblig **تَرْبْلِق**

كلمة مكوّنة من الاحرف المعكوسة لاسم غلبرث (GILBERTH) . وقد اطلق فرانك جي. غلبرث هذه الكلمة على كل قسم محدّد من اقسام الحركة حسب الغرض الذي أجري

Three-in-One Method

من اجله . وتشمل هذه التربلقات الحركة . أو اسباب عدم وجودها . ولكل « تربلق » لون محدّد ورمز يستخدم لاغراض التسجيل . ورموز التربلقات الثمانية عشر هي : البحث ، الوجدان . الاختيار . الامساك ، تحرك وسيلة النقل وهي محمّلة ، جعل المادة في الوضع المناسب ، التجميع ، الفك ، المعاينة ، الاستعمال ، اعداد المادة لوضع جديد مناسب ، اعتاق الحمل ، تحرّك وسيلة النقل وهي فارغة ، الراحة من التعب المضني ، التأخير الذي لا يمكن اجتنابه ، التخطيط . الوقف .

Three-in-One Method **طَريقةُ القُيود الثلاثَة في قَيد واحد**

طريقة تقيّد بها في وقت واحد استمارات حسابية متعددة متعلق بعضها ببعض .

Time and Motion Study **دِراسَةُ الوَقت والحَرَكَة**

اصطلاح دارج (بطل استعماله الآن) لدراسة اساليب واوقات العمل المعيّن للعمّال ، لمعرفة ما اذا كان في الامكان تبسيطه بقصد انجازه في وقت اقل من اجل زيادة الكفاءة . وهذه الدراسة مساوية لدراسة العمل (انظر : WORK STUDY) .

Time Band Averaging **إيجَادُ معدّل الوَقت**

طريقة لتحميل المنتجات التكاليف المتكبدة في الورشة واعطاء اساس تقديري في الوقت نفسه يعتمد عليه في حساب سعر البيع . وتقيّم مختلف قطع الشغل الزائدة على كمية قُرّر حدها الادنى سلفاً بالنسبة الى دورات صنعها بين طابق وطابق في المعمل بحيث يقع الوقت المخصص لصنعها ضمن حدود فترة زمنية معلنة (بين ١٥ و ٢٠ دقيقة مثلاً) . ويؤخذ المتوسط الحسابي لتكاليف هذه الفترات بحيث يمثل معدل تكلفة الايدي العاملة لكل وحدة من الوحدات المشمولة في الفترات الزمنية .

Time Buying **شَراءُ الوَقت**

يدل التعبير عادة على استخدام مرافق مكاتب خدمات الحاسبات الآلية لتجهيز البطاقات المثقبة او الاشرطة الورقية او غير ذلك باستئجارها على اساس فترات زمنيّة .

Time Card **بِطَاقةُ الدّوَام**

انظر : CLOCK CARD

Time Integrated Resource Allocation Technique **طريقةُ تَخْصِيص الموارد مدموجةً بالوقت**

طريقة نتّبعها الادارة في التخطيط تجمع اساوب تحليل الاعمال الحرجة الى وضع البرامج الخطية . وبهذه الطريقة تحلّل وتبيّن الاوقات اللازمة لانجاز نواحٍ محددة من العمل كما يحلّل ويبين مقدار الحاجة الى توفّر الموارد . وبها تُبيّن كذلك نوعية كلّ مورد من الموارد المستعملة وكذلك الموارد المستعملة في كل فترة زمنية ومجموع ما يطلب من اوقات العمل العادية واوقات العمل الاضافية ، وتكاليف الوقت العاديّ والوقت الاضافيّ .

Time Rate **أجْرَةُ الوَقت**

نظام لدفع الاجور للموظفين عن الوقت الذي اشتغلوا فيه ، ويمكن ان تحسب المبالغ المدفوعة على اساس الساعة او اليوم او الاسبوع او الراتب الشهري الثابت .

Time Series **سِلسِلةُ الوَقْت**

في الإحصاء ، يدل التعبير على تعاقب من القِيَم المتعلقة بنقاط او فترات زمنية متتابعة .

Time Span of Discretion **فَتْرةُ التَقدِير الزَّمَنيّة**

طريقة لقياس مستوى العمل في وظيفة او مهمة معيّنة باطول فترة زمنية ينجز فيها العمل على نحو غير مقبول قبل ان يبلّغ المديرَ المسؤولَ عن مراقبة العمل بالعمليات المتجمعة التي انجزت دون المستوى القياسيّ .

Time Study **دِراسَةُ الوَقْت**

طريقة لقياس العمل من اجل تسجيل اوقات واجور العمل الخاصة بعناصر عملية محددة أنجزت في ظروف معيّنة ولتحليل المعلومات لمعرفة الوقت اللازم لانجاز العملية على مستوى محدّد من الاداء . والطريقة معادلة لطريقة قياس العمل (انظر : WORK MEASUREMENT) وهي تعتبر مرحلة من مراحل دراسة العمل (انظر : WORK STUDY) .

Time Ticket **تَذْكَرَةُ الدَّوام**

انظر : CLOCK CARD

Top Management **الإدَارة العُليا**

تعبير دارج يصف الاشخاص المسؤولين عن توجيه الشركة وسياستها بصورة عامة . وتضم

Total Cost Approach to Distribution

الادارة العليا عادة اعضاء مجلس الادارة ورؤساء الاعمال والاقسام الرئيسية على اعلى المستويات الادارية .

Total Cost Approach to Distribution **طَرِيقَةُ معرِفة تَجميع تكاليف التَوزيع**

طريقة لاكتشاف وفحص تكاليف التوزيع الحقيقية . والهدف منها تحديد اكثر اساليب التوزيع ربحاً للعمليات القائمة لكي يتوافر للادارة معيار يتيح لها قياس أثر أي تغيير مقترح على مجموع الارباح .

Total Quality Control **مُراقبةُ النَوْعيّة الكُليّة**

طريقة شاملة لمراقبة النوعية مفادها أن المراقبة عملية يجب ان تقوم بها سائر اقسام الشركة على أن تبدأ في القسم المكلّف بتصميم السلعة وأن لا تتوقف الاّ عند وصول هذه السلعة الى يدي المستهلك الذي يرضى بها .

Total Systems **مَجموعُ الأجْهزة**

التوحيد الكامل لجميع الاجهزة الرئيسية الخاصة بالتشغيل وجمع المعلومات داخل الشركة عن طريق وسائل تجهيز المعطيات . والهدف من ذلك هو تجهيز المعطيات بصورة فعّالة وتزويد الادارة في الوقت نفسه بالمعلومات الضرورية لتخطيط ومراقبة مختلف اعمال التسويق والصنع في الشركة .

Trade Discount **حَسْمٌ تِجاريّ**

انظر : DISCOUNT

Trade Investments **اسْتِثْمارَاتٌ تِجاريّة**

استثمارات تملكها المؤسسة وهي غير معدّة للبيع .

Traders' Credit **إعْتِمادُ التّجّار**

نظام لتسوية الحسابات الإجمالية عن طريق ترتيب يتم بين التجار والبنوك .

Trading Down **تَخفيضُ السِعر لزيادة المَبيعات**

طريقة يلجأ اليها البائع في تصريف السلع الرخيصة أو ذات النوعية المنخفضة بهدف تأمين

Turnover, Rate of

حجم أكبر من المبيعات (بحصوله في العادة على نسبة منخفضة من الربح مع بيع كمية كبيرة من السلع) .

Trading Up رَفعُ السّعر للمُحافظة على مَكانَة المَتْجر

طريقة يلجأ اليها البائع في تصريف السلع الغالية أو ذات النوعية المرتفعة بهدف كسب مكانة لمتجره وتأمين طبقة افضل من الزبائن (بحصوله في العادة على نسبة عالية من الربح مع بيع كمية قليلة من السلع) .

Training Within Industry التّدريبُ في الصّنَاعَة

برنامج أدخل الى المملكة المتحدة في عام ١٩٤٣ كأسلوب منهجي لتدريب ملاحظي الاشغال وغيرهم من الرؤساء على تعايم العمال . ويشمل برنامج التدريب مختلف نواحي التعليم على اساليب التشغيل وعلاقات العمل .

Travel Chart رَسْمٌ بيَانِيٌّ للحركَة

سجلّ ذو جداول يُستعمل لتقديم معلومات كمّية عن حركة العمال او المواد أو المعدات بين اي عدد من الاماكن خلال اية فترة معيّنة من الزمن .

Trend Forecasting التنبؤ بالاتّجاه

طريقة للتنبؤ تستخدم نسبة المعدل المرجّح لسلسلة من القيم الى المعدّل غير المرجّح . انظر ايضاً : LEAST SQUARES و EXPONENTIAL SMOOTHING

Trouble-Shoot يتَحرّى الخَلَل

انظر ايضاً : DEBUG . تعني الكلمة البحث عن الاخطاء التي قد تقع في غملية وضع الرموز او عن أسباب تعطّل الحاسبة الآلية .

Turnover المَبيعَات الإجْمَالية

مجموع مبيعات الشركة في فترة معيّنة وقيمة البضائع والخدمات التي باعتها الشركة في فترة المحاسبة والتي قدّمت فواتير عنها .

Turnover, Rate of سُرْعةُ دَوْرَة البِضَاعة

عدد المرات التي تباع فيها بضائع الشركة المتوسطة الصنف خلال فترة من الزمن . فاذا كان

متوسط ثمن البضائع ٥٠٠ جنيه استرليني ومجمل المبيعات ٣٠٠٠ جنيه استرليني ، فسرعة دورة البضائع هي ٦ . وتكون هذه السرعة في السلع المرتفعة الثمن منخفضة عادة ولكنها تكون عالية في سلع الاستهلاك العاديّ . اما بالنسبة الى السلع القابلة للتلف ، فانها أعلى مما هي في اية سلع اخرى .

TWI: Training Within Industry **اختصار : التّدْريبُ في الصِناعة**

انظر العبارة في مكانها .

Two-Handed Process Chart **رسْمٌ بيَاني لِسيْر أعمال اليدَين**

رسم بياني تسجّل فيه اعمال يدي العامل (او اعضاء جسمه الآخرى)بنسبة الواحدة منهما الى الاخرى .

UMS: Universal Maintenance Standards **اختصار : مَقَايِيس الصّيانَة العامّة**

انظر العبارة في مكانها .

Uniform Costing **حِسابُ التّكاليف المُنسّق**

مجموعة من مبادىء واساليب المحاسبة المشتركة التي يستخدمها عدد من الشركات التي تزاول صناعة معيّنة لتمكّنها من اجراء مقارنة بين مختلف التكاليف .

Union Shop **مُنشَأة نقَابيّة**

انظر : CLOSED SHOP

Unique Selling Proposition **اقتراحٌ فريدٌ للبيع**

اعطاء السّلعة صفة او ميزّة مغرية فريدة ، كالتي يحاول الكاتب المختص بالاعلانات ان يبتكرها أو يبرزها في الاعلان الذي يُعدّ عن تلك السلعة .

Universal Maintenance Standards **مَقَاييْس الصّيَانة العامّة**

معايير محدّدة سلفاً لقياس العمل هدفها قياس اعمال الصيانة التي لا تجري بصورة متكررة .

USP : Unique Selling Propositiont

Universal Office Controls	الأساليبُ العامّة لمراقبة المكاتب
	طريقة لمراقبة تكاليف المكاتب تستخدم أساليب قياس الوقت .
Universal Standard Data	المُعْطَيَاتُ القِيَاسِيّة العامّة
	شكل من اشكال نظام مبسّط خاص بالوقت المقرر سلفاً مستخرج من طريقة قياس وقت الأساليب (انظر : METHODS TIME MEASUREMENT) . وهو يحتوي على سبعة جداول بالمعطيات الخاصة بمقاييس الوقت التي يمكن تطبيقها على اي نوع من الأعمال اليدوية . ويُراعى فيه درجة عالية من الدقة في جميع العمليات ،ما عدا تلك التي يستغرق انجازها فترة قصيرة جداً من الزمن .
UOC: Universal Office Controls	اختصار : الأساليبُ العامّةُ لمراقبة المكاتب
	انظر العبارة في مكانها .
USD: Universal Standard Data	المُعْطَيَاتُ القِيَاسِيّة العامّة
	انظر العبارة في مكانها .
USP: Unique Selling Proposition	اختصار : اقتراحٌ فريدٌ للبَيْع
	انظر العبارة في مكانها .

147

Value Added Tax
ضَريبَةُ القيمة المُضْفَاة

ضريبة تفرض على السلعة في كل مرحلة من مراحل صنعها او توزيعها وتكون متناسبة مع الزيادة المقدّرة في قيمة بيعها النهائية .

Value Analysis; Value Engineering
تَحليلُ القيمة ، هَنْدَسَةُ القيمة

طريقة ابتكرت في امريكا يُحلّل بواسطتها بصورة منهجية كل عنصر وكل عملية داخلة في صنع السلعة وفحص وظيفتها وفائدتها بالنسبة الى التكاليف المتكبّدة . والهدف من هذه الطريقة هو تحقيق منفعة متساوية من السلع او الخدمات بتكاليف اقل . وهي تعرف ايضاً باسم طريقة نظام تحليل الوظائف (FAST) .

Variable Costing
التَّثْمِينُ المُتَغيّر

شكل من أشكال التثمين الحدّي تفحص فيه التكاليف في مختلف مستويات الإنتاج البديلة .

Variable Element
العُنْصُرُ المُتَغيّر

احد عناصر العمل الذي يتغيّر الوقت الأساسيّ المخصّص له بتغيير بعض خاصيّات السلعة او المعدات او العملية ، كالابعاد والوزن والنوعية وغير ذلك .

Variable Expense
المصْروفَاتُ المُتَغيّرة

تكاليف او مصروفات تزيد أو تنقص بزيادة او نقصان حجم الانتاج ، كتكاليف المواد الخام والايدي العاملة . انظر : DIRECT COST و PRIME COST .

Variable Factor Programming
وضعُ بَرامِج العَوامِل المُتَغيّرة

علامة تجارية مسجلة باسم شركة ووفاك (WOFAC) لطريقة خاصة بقياس ومراقبة تشغيل الايدي العاملة غير المباشرة وأدائها وتكاليفها . وتُبنى طريقة وضع البرامج هذه على اساس المبدأ الذي مفاده أن احدى وظائف الادارة هي تحديد مقدار العمل في اليوم الواحد بصورة عادلة ومعقولة وتعيين العمل ومراقبة سيره .

Variance
التَّبَايُنُ

١. في الاحصاء ، هو المتوسط الحسابيّ لمربّع كميات الانحراف عن المتوسط .
٢. في محاسبة الادارة ، هو الفرق بين المقدار الفعليّ في فترة معيّنة من الزّمن والمقدار القياسي المحدد سلفاً من الأداء او الانتاج او التكلفة او الربح . انظر : STANDARD COSTING

Variance Analysis

تَحليلُ التَّبَايُن

مقارنة الأرقام الفعلية مقارنة دورية بالارقام القياسية الخاصة بالعمل المباشر ووقت تشغيل الآلات واستعمال المعدات وغير ذلك .

Variety Reduction

الإقْلالُ من تَنْوِيع الأصنَاف

تضييق نطاق المنتجات المصنوعة او المسوّقة . كذلك تشجيع زيادة استعمال القطع القياسية حيثما امكن ذلك . وكثيراً ما يكون هذا التعبير مرادفاً لعبارة توحيد المقاييس والتبسيط .

Vertical Integration

التَّكَامُلُ العَمُوديّ

توسيع المؤسّسة بالدمج او بانشاء مرافق اضافية فيها . وهو يعني ضمناً ربط سلسلة من العمليات الخاصة بصنع البضائع ، ابتداء من الحصول على المواد الخام حتى تسويق هذه البضائع نهائياً .

VFP: Variable Factor Programming

اختصار : وضعُ بَرَامِج العَوَامل المُتغيّرة

انظر العبارة في مكانها .

Visual Punch (ed) Card

البِطَاقةُ المثقَّبةُ البَصَريّة

بطاقة مثقبة تؤخذ المعلومات منها بالنظر الى مجموعة منها خلال الثّقوب الموجودة فيها . وتعرف ايضاً باسم بطاقة الخواص . انظر : FEATURE CARD

Vital Statistics

الأحْوَالُ الشَّخْصِيَّة

انظر : DEMOGRAPHY

Vocational Training

التَّدريبُ المِهَنيّ

التعليم او التدريب على عمل او حرفة او مهنة معيّنة . بعكس التعليم العامّ المقصود به اعداد الانسان للحياة وكسب المعيشة .

Volume Chart

رَسْمٌ بيانيٌّ للحَجم

رسم بياني يظهر حجم أو كمية نشاط معيّن خلال فترة من الزمن .

149

Voluntary Chain سِلسِلَة اختِيَارِيّة

مجموعات من البائعين بالمفرق الذين اتفقوا فيما بينهم على الاّ يشتروا بضائعهم الاّ من تاجر واحد لبيع الجملة ، وبهذا يحصلون منه على حسم اضافي وعلى نصائح خاصة بطرق ترويج البضائع وبافضل اساليب البيع بالمفرّق وعلى الاستفادة من مشاريع الاعلان الجماعية .

WASP: Workshop Analysis and Scheduling Procedure **اختصار : إجراءُ تَحليلِ أعمالِ الوُرَش ووضع جداولَ لها**

انظر العبارة في مكانها . (كذلك تستعمل العبارة في مجال الاعمال في الولايات المتحدة ، بصورة تهكّمية ، لتعني « البروتستانت البيض الانكلو – ساكسون » ، اي WHITE ANGLO-SAXON PROTESTANT .

Wasting Asset **الأصْلُ المُتَنَاقِص**

الأصل الذي له حياة محدودة ولا يمكن استبداله . كمنجم او بئر زيت ، والذي ستنفد موارده مع الزمن بالتأكيد .

Weighted Average **المُعدّلُ المُرجّح**

طريقة لحساب المعدّل يُعطى فيها بعض العناصر في المجموعة قيمة اكبر من التي تعطى للعناصر الأخرى . انظر ايضاً : ARITHMETIC MEAN

Weighting **التّرجِيْحُ**

طريقة تشدّد على بنود معيّنة مستعملة في ايجاد الرقم الدليليّ اكثر مما تشدّد على غيرها .

Whole Pound Accounting **مُحاسَبَةُ الجنيهِ الكامل**

اجراء في المحاسبة الداخلية يصرف النظر عن الشلنات والبنسات وتُقيّد فيه جميع الحسابات بالجنيهات الكاملة فقط .

Wholesaler **بَائِعٌ بالجُملة**

شخص يحتفظ بكميات من البضائع التي ينتجها الغير ويبيعها على وجه العموم لمحلات البيع بالمفرّق بدلاً من بيعها للمنتفعين او المستهلكين مباشرة . وهو بذلك يحصل على ايراده من الحسم الذي يدفعه له المنتج .

Window Dressing **تَحْرِيفُ الحَقَائِق الماليّة**

تُطلق العبارة على البيانات المالية (كالميزانية العمومية مثلاً) التي تعطي صورة كاذبة عن الوضع المالي .

Work Cycle دَوْرَةُ العَمَل

تسلسل العناصر المطلوبة لأداء العمل او انجاز وحدة من وحدات الانتاج . وقد يشمل هذا التسلسل بعض العناصر الطارئة .

Work Factor عَامِلَ العَمَل

نظام خاص بالاوقات المقرّرة للحركة سلفاً ابتكرته شركة WORK FACTOR في نيويورك بالولايات المتحدة الامريكية. وتعتبر فيه اوقات الأداء أنها الاوقات التي يصرفها الموظفون عند عملهم بموجب خطة تشجيعيّة . ويشمل هذا النظام جميع حركات الجسم مقسّمة الى تسع فئات .

Work in Progress أعْمالُ تحت التَنفيذ

المواد او الاجراءات او المنتجات في مختلف مراحل انجازها في عمليات الصنع بما في ذلك المواد الخامّ التي تُصرف للعمليات الاولى والمواد التي أكمل صنعها تماماً وهي تنتظر معاينتها نهائياً لقبولها كمنتجات تامة الصنع .

Work Load حِمْل العَمَل

كمية العمل التي يؤديها الفرد او الدائرة او المؤسسة ، او المقرّر اداؤها ، ويُعبّر عنها عادة بوحدات العمل القياسية .

Work Measurement قِيَاس العَمَل

تطبيق الطرق الموضوعة لتحديد كمية الوقت الذي يستغرقه العامل في انجاز عملية معيّنة على مستوى معيّن من الاداء وتشمل الطرق المستعملة دراسة الوقت وانظمة الوقت المقرر للحركة سلفاً ومراقبة الفَعّالِيّة بالمعاينة والطرق السيكولوجية . ويستخدم اسلوب قياس العمل في ما يلي :

- قياس انتاجية الايدي العاملة .
- المساعدة على تخطيط ومراقبة الانتاج وتحديد التكاليف القياسية ومراقبة الميزانية .
- اعتباره اساساً للخطط التشجيعية .
- تقييم اساليب تأدية العمل البديلة .

وهو يعرف ايضاً بقياس الجهد .

Writing Off

Work Sampling مُراقبَةُ العَمَل بالمُعاينة

انظر : ACTIVITY SAMPLING

Work Study دِراسَة العَمل

اسم عام للطرق . وخصوصاً طرق دراسة الاساليب وقياس العمل ، التي تستخدم لفحص عمل الانسان في جميع اوضاعه والتي تؤدّي بصورة منهجية الى تحرّي جميع العوامل التي تؤثر في اداء العمل في الحالة الموضوعة قيد الدرس أداء فعّالاً واقتصادياً . بقصد اجراء التحسينات اللازمة .

Working Assets الأصُول العَامِلة

المخزون من المواد الخام والاعمال تحت التنفيذ والمنتجات التامة الصنع والمبالغ المستحقة من المدينين والنقد في الصندوق .

Working Capital الرأسْمال العَامِل

يُعرف باسم آخر اكثر شيوعاً وهو صافي الاصول العاملة الحالية ، ويعني الاصول الحالية ناقصة الالتزامات الحالية . وهو يعرف ايضاً بالرأسمال المتداول .

Working Party الفَريق العَامِل

لجنة من افراد يعيّنون ليقوموا بتحريات خاصة وبتقديم تقرير عن النتائج التي يتوصلون اليها .

Workshop Analysis and Scheduling Procedure (WASP) إجراءُ تَحليل اعمال الوَرَشَات ووَضْع جداولَ لها

طريقة من طرق التحليل الشبكيّ لاستعمال الحاسبة الآلية ابتكرتها مؤسسة ابحاث الطّاقة الذرية (هارْوَل) بهدف تعيين كمية الحمل الذي تستطيع الآلة القيام به على النحو الامثل .

Writing off تَخْفيضُ قيمةِ الأصْل

تخفيض القيمة الدفترية لاصل من الاصول لجعله يتناسب مع قيمته العادلة في السوق تناسباً أدق .

Z Chart **الرَّسْمُ البيانيّ « Z »**

رسم بيانيّ يتعلق بانتاج الشركة ويُبيّن فيه . لاغراض المقارنة السهلة ، خطوط المجاميع الشهرية ، والمجموع الشهري المتراكم ، والاجمالي السنوي المتحرك (اي المجموع لكل شهر من الاثنيّ عشر شهراً السابقة) . وهذه الخطوط الثلاثة تشكّل معاً الحرف « Z » .

Zero Defects **إنْعِدَامُ العيُوب**

برنامج تشجيعيّ للموظفين مصمم لتحسين نوعية العمل وتشجيعهم على تأدية العمليات المسندة اليهم بدون اخطاء ، وذلك باثارة روح الاعتزاز لدى كل واحد منهم بإتقان العمل .

Zones of Indifference **مَناطِقُ الحِياد**

تدل العبارة على اتجاه الافراد نحو وضع حدود معيّنة لاستجابتهم للسلطة التي فوقهم عن طيب خاطر . وتتفق هذه المناطق بصورة تقريبية ومقدار فهم الموظف للعلاقة التي بينه وبين الآجر عند التحاقه بالعمل .

وَضع البَرامج بالطُرُق
الرِياضيَّة ٩١
نِظام تَقدير التَكاليف
و**وَضع** الجداوِل ٨٠
وَضع البَرامج الخطّي ٨٢
وَضع البَرامج دِيناميكيّاً ٤٤
وَضع بَرامج للعوامِل
المُتغيرة ١٤٨
وَضع البَرامج ١١٨
وَضع الرُموز أوتوماتيكيّاً ١٠
وَضع الميزانيَّة ١٩
الوَظائف ٥٧
أُسلوب وَضع الرُتَب
للوَظائف ٧٥
تَدرُّج **الوَظائف** ٧٥
تَصنيف **الوَظائف** ٧٤
تَحليل **الوَظيفة** ٧٤
تَقييم **الوَظيفة** ٧٥
خاصيَّة **الوَظيفة** ٧٤
دِراسة **الوظيفة** ٧٦
عامِل **الوَظيفة** ٧٥
وَصف **الوظيفة** ٧٤
الجَمعُ بَيْنَ **وَظيفتَيْن** ٩٥
أُجْرة **الوَقْت** ١٤٣
وَقْت الانتِظار ٨٣
بطاقة قَيْد **الوَقت** ٢٥
وَقْت الحركة الأَساسيَّة ١٣
الوَقت الحَقيقيّ ١٢٤
دِراسة **الوَقت** ١٤٣
دِراسة **الوَقْت** والحركة ١٤٢
سِلسِلة **الوَقْت** ١٤٣
شِراء **الوَقْت** ١٤٢
الوَقْت القِياسيّ ١٣٥
وَقْت مُتقدِّم . مُهْلَة ٧٩
الوَقْت المسمُوح به ٥
مَقاييس **الوَقت** التَّركيبيَّة ١٣٨
الوَكيل ٤
وَكيل تِجاريّ ٥٠

ي

اِنْتاجيَّة **اليَدِ** العاملة ٧٨
تَكلِفَة **اليَدِ** العاملة ٧٨

هَندَسة الأساليب	٩٣	نِظام المُكافأة الزّائدة	١١٢	ن	
الهَندَسة البَشَريَّة	٦٣	نِظام الوَحدات الدُوليّ	١٣٨	ناتج مَقاييس الإنتاجِيَّة	١٠٧
الهَندَسة الصِناعيَّة	٦٧	نِظام الوَقت المُقرَّر للحَركة		نِسَب الإدارة	٨٧
هَندَسة القيمة	١٤٨	سَلَفاً	١١١	النِسَب التَّكنومتريَّة	١٤١
الطَريقة الهنغاريَّة	٦٤	النَظريَّة «x»	١٤١	النِسَب الحِسابيَّة	٢
شَركة . هَيئة	٣٢	نَظريَّة الاتصال	٢٧	النِسَب الماليَّة	٥٢
		نَظريَّة الألعاب	٥٨	قانون النِسَب المُتغيِّرة	٧٩
و		نَظريَّة المعلومات	٦٩	نِسبة الاختيار الحاسِم	٢
		النَظريَّة «Y»	١٤١	النِسبة الحاليَّة	٣٦
وافَق (يُوافِق)	٧	نَفَّذَ (يُنفِّذ)	٤٩	دراسة نِسبة التَّأخير	١٢٣
نِظام الوَحدات الدُوليّ	١٣٨	إستعادة النَّفقات	١٢٤	نِسبة السُيولة	٨٢
أحجام الوَرق العالَميَّة	٧١	مُنشأة نِقابيَّة	١٤٦	نِسبة الفَعاليَّة	٢
الوَسائِل المادِيَّة	٦٢	التَنبُّؤ بكمِّيَّة النَّقد	٢٣	نِسبة الكِفاية	٤٦
الوَسائِل المَعنَويَّة	١٣٤	حَرَكة النَّقد	٢٣	النَسخ بالتَّصوير	١٢٥
الوَسَط . المِعيار	١٠١	مِيزانيَّة النَّقد	٢٢	نَشر المعلومات بطَريقة	
الوَسَط الحِسابيّ	٧	النَقص الطَبيعيّ	٩٩	إنتقائيَّة	١٣٠
الوَسيط	٩٤	نقطة البَيع	١١١	نِظام نَشر المعلومات	
الوَسيلة التَّنقيبيَّة	٦٢	حَرَكة النَقل المُعدَّل	٤٢	بطَريقة إنتقائيَّة	١٣١
وَصف الوَظيفة	٧٤	نَموذج	٩٤	النِطاق	١٢٢
وَصف وَظيفة إداريَّة	٨٧	النَوبة	١٣٢	نِظام	١٣٨
بِطاقات الوَصوَصة	١٠٧	نَوبة المَساء	١٣٧	نِظام التَجميع	٩
الوُصول العَشوائيّ	١٢٢	مُراقَبة النَوعيَّة	٣٠ ،	نِظام التَشغيل الإداري	٨٧ ،
إجراء تَحليل أعمال			١٢١		٩٥
الوَرشات ووَضع		مُراقَبة النَوعيَّة الإحصائيَّة	١٣٥	نِظام الرَقابة على التَنبُّؤات	
جَداول لها	١٥٣	مُراقَبة النَوعيَّة الكُليَّة	١٤٤	والبَضائع المَوجُودة	٥٥
أسلُوب وَضع الرُتَب		« نيكول » : لُغة تِجاريَّة		نِظام الشَركة الأساسيّ	٨
للوَظائف	٧٥	١٩٠٠	١٠١	نِظام مُراقَبة التَكهُنات	
وَضع البَرامج أوتوماتيكيّاً	١٠			والبَضائع المَوجُودة	٥١
وَضع البَرامج البارامتري	١٠٦	هـ		نِظام المعلومات المُجهَّزة	
وَضع البَرامج بأعداد		خُطَّة « هالسي »		بِحاسبة آليَّة	٢٦
صَحيحة	٧٠	التَشجيعيَّة	٦٢		

مدموجةً بالوَقت	١٤٣	الملكيّة المُشتركة	٣٢	المُتكاملة	٧٠،٦٥	
وَضع الجداول لتخصيص		الصيانة المنسَّقة الدَّوريَّة		المُعطيات المُلقَّنة للحاسبة		
الموارد والمشاريع	١٢٥	للمَناطق	٣١	الآليَّة	٢٨	
مُواصَفات المُوظَّفين	١٠٩	مناطق الحِياد	١٥٤	إستِقاء المعلومات	٦٩	
مُواصَفات الوَظيفة	٧٦	مُناولة المَوادّ	٩٠	المعلومات الدَّاخليَّة	٦٩	
تحديد المواعيد أوتوماتيكيّاً		تثمين المُنتَجات	١١٥	نِظام نَشر المعلومات		
بتوزيع الموارد بِدَمج		تخطيط المُنتَجات	١١٥	بطَريقة إنتقائيَّة	١٣١	
الوَقت فيها	١٠، ٩	تنويع المُنتَجات	١١٥	نَظريَّة المعُلومات	٦٩	
دراسة المَواقِف	٩	مَزيج المُنتَجات	١١٥	مَعمَل	١١٠	
مَنفعة « نيومن		مُنحنى غاوسيّ	٥٨	الوَسَط . المِعيار	١٠١	
مورغنسترن »	١٠٠	مُنحنيات التعلُّم	٧٩	الإنتاج المعياريّ	٩٤	
مُوظَّف تنفيذيّ	٤٩	مُنشأة	١١٠	المُقارَنة بين الشَّركات	٧٠	
مُوظَّفون إستشاريُّون .		مُنشأة مَفتوحة	١٠٢	توجيه المقاييس الصِناعيَّة	٦٨	
مُوظَّفُون	١٣٤	مُنشأة نقابيَّة	١٤٦	توحيد مقاييس العَمل	٧٦	
إدارة المُوظَّفين	١٠٩	منصَّات نَقَّالة	١٠٦	مَقاييس الصيَّانة العامَّة	١٤٦	
تقدير المُوظَّفين	١٠٩	التَّنظيم المَنطقيّ	١٢٣	مُنظمة المَقاييس العالميَّة	٧١	
مُواصَفات المُوظَّفين	١٠٩	المُنظَّمة	١٠٤	مؤسَّسة المَقاييس		
مَوقِف التقصّي	١٢١	مُنظَّمة المقاييس العالميَّة	٧٣،٧١	البريطانية	١٨	
أسُلوب « مونت كارلو »	٩٥	مَنفعة « نيومن		مَقاييس الوَقت التركيبيَّة	١٣٨	
ميزان التَّقدير	١٢٣	مورغنسترن »	١٠٠	مَشغَل مُقفَل	٢٦	
المِيزانيَّة	١٩	المَنهجيَّة	٩٢ ،	الشَّركة المُقفَلة	٢٦	
الميزانيَّة العُموميّة	١٢		١٣٨	مُكافأة	١٦ ،	
الميزانيَّة العُموميَّة المُوحَّدَة	٢٩	المِنوال	٩٤		١٢٤	
ميزانيَّة المبيعات	١٢٨	مُهلَة	٧٩	نِظام المُكافأة الزَّائدة	١١٢	
مُراقَبة الميزانيَّة	٣٠	تفصيل المُهمَّات	١٤٠	رَفع السِّعر للمُحافظة		
مُراقَبة الميزانيَّة / مُراقَبة		الجمعيَّة الأمريكيَّة		على مَكانة المَتجر	١٤٥	
وَضع الميزانيَّة	١٩	للمُهندسين الصِناعيين	٤ ، ٥	مكتَب العَمل الدُّوليّ	٧١	
الميزانيَّة المَرنة	٥٣	المَوادّ غير المُباشرة	٦٧	مكتَب مَكشوف	١٠٢	
ميزانيَّة النَّقد	٢٢	المَوادّ المُباشرة	٤١	تقدير الاعتماد . المَلاءَة	٣٥	
وَضع الميزانيَّة	١٩٨	مُناوَلة المَوادّ	٩٠	مُلاحظة عمُّال	٥٥	
		طريقة تخصيص المَوارِد		قَيد الملفَّات	٥٢	

مراقبة				مُعطيات	
حساب المُراقَبة	٣٠	المُستَوى ـ أو المعدل ،		أوتوماتيكيّاً	٤، ١٠
رَسْم بَيانيّ للمُراقَبة	٢١	المقبُول لنوعيَّة البضاعة		المُعايَنة بالكُوتا	١٢١
مراقَبة العَمل بالمُعايَنة	١٥٣	الخارجيّة	٦	المُعايَنة العَشوائيَّة	١٢٢
مُراقَبة الفَعالية بالمُعايَنة	٣	المُستَوى المتوسّط لنوعيَّة		المُعايَنة للقبُول	١
مراقَبة المخزونات	٣١	البضاعة الخارجيَّة	١١	المُعايَنة المتعاقِبة	١٣١
مراقَبة الميزانيَّة	٣٠	مُستَوى المخزونات		مراقَبة العَمل بالمُعايَنة	١٥٣
مراقَبة الميزانيَّة / مُراقَبة		الحدّيّ	٨٨	مُعدّات مُحيطيَّة	١٠٨
وَضع الميزانيَّة	١٩	المُستَوى المقبُول لنوعيَّة		تأخير المُعدّات	٤٨
مراقَبة النّوعيَّة	٣٠،	البضائع الخارجيَّة	١	المُعدَّل	١١
	١٢١	الوَقت المسمُوح به	٥	إيجادُ مُعدَّل الوَقت	١٤٢
مراقَبة النّوعيَّة الإحصائيَّة	١٣٥	المُشارَكة	٣٢	المُعدَّل الداخليّ للمردُود	٧١
مراميَّة النّوعيَّة الكُلّيَّة	١٤٤	المُشارَكة في الأرباح	١١٧	المُعدَّل الصناعيّ للمردُود	٦٨
المَربَحيَّة	١١٧	إدارة المشاريع المُتكاملة	٧٣	المُعدَّل المتحرّك	٩٦
أسلُوب أَقل المُربَّعات	٨٠	وَضع الجَداول لتخصيص		المُعدَّل المرجَّح	١٥١
المُعدَّل المرجَّح	١٥١	الموارد والمشاريع		تحليل المُعضِلات واتّخاذ	
المردُودات المُتَناقِصة	٤٠	المُتعدّدة	١٢٥	القرارات	١١٣
مردُود الرأسمال	١٢٥	اللُّغَة المُشتَركة	٢٧	تجهيز المُعطيات الفُوريّ	١٠٢
المُعدَّل الداخليّ للمردُود	٧١	المِلكيَّة المُشتَركة	٣٢	ذاكِرة للتَوصُّل إلى	
المُعدَّل الصناعيّ للمردُود	٦٨	رَئيس مُشرف	١٣٧	مُعطيات البطاقات	
نسبة المردُود	١٢٢	إدارة المشرُوع المُتكاملة	٧٠	عَشوائيّاً	٣٤
المَركَز	٢٤	مَشرُوع « جلاشر »	٥٩	مُعطيات العَمل الأساسيَّة	١٣
مَركَز الأرباح	١١٧	صاحِب المشرُوع	٤٨	المُعطيات القياسيَّة	
مَركَز المُقارَنة بين		مشغّل مُقفَل	٢٦	الأَوّليَّة	١١٢
الشَّركات	٢٢	المصرُوفات الرأسماليَّة	٢١	المُعطيات المُتعدّدة	
المَركَزيَّة	٢٤	المصرُوفات المُتغيّرة	١٤٨	الأَغراض	٥٩
المُرونة	٤٧	القيمة المُضَفاة	٣	المُعطيات القياسيَّة	
نَظريَّة المُزايَدة	١٥	المُطالَبة الدَوريَّة	٣٦	العامَّة	١٤٧
مَزيَّة إضافيَّة	٥٦	المُطالَبة المُستمِرَّة	٢٩	معالَجة المُعطيات	٣٧
المَسؤُوليَّات الوظيفيَّة	٥٧	تَرجَمة المُعادَلات	٥٥	معالَجة المُعطيات	
المُساوَمة الجَماعيَّة	٢٧	معالَجة المُعطيات	٣٧	بالآلات الإلكترُونيَّة	٤٧
المُستَوى	١٢٤	معالَجة المُعطيات		معالَجة المُعطيات	

٢	مُدَّة المُحاسَبَة		للمُؤتمرات الصِّناعيَّة ٩٩،		م
١٠٨	تكلفة المُدَّة		١٠٠		
٩٧	المَدْخَل المُتعدِّد		تقدير طاقة المجموعات ٦٠	٩٠	سلسلة «ماركوف»
٨٧	مُدير		تكنولوجيَّة المجموعات ٦١	٢٠	المُؤسَّسة
٧	المدير الإقليميّ		مجموعة إجتماعيَّة -	٧٢،٦٩	مُؤسَّسة إدارة المَكاتِب
٤٩	المدير التنفيذيّ	١٣٤	إقتصاديَّة	٧٢،٦٩	مُؤسَّسة إدارة الموظَّفين
١٠٥	مدير خارجيّ	٢	المُحاسَبَة		مُؤسَّسة المقاييس
٥٢	مدير الصَّفِّ الأوَّل	٨٥	مُحاسَبة الإدارة	١٨	البريطانية
١٧	مدير الصِّنف		مُحاسَبة استهلاك	١٤٥	المبيعات الإجماليَّة
١	مدير العَلاقات بالعُمَلاء	٩٧	الأصول المُتعدِّدة	١٢٨	إدارة المبيعات
	مدير المبيعات في	٨٠،١٦	مُحاسَبة بدُون دفاتر	١٢٩	إمكانيَّة المبيعات
٥١	الأسواق	٣٢	مُحاسَبة التَّكاليف	١٢٩	تخطيط المبيعات
٤١	المديرون	١٥١	مُحاسَبة الجنيه الكامل		تخفيض السِّعر لزيادة
٣٧	إشعار مَدين		مُحاسَبة القيد من	١٤٤	المبيعات
	طريقة تقدير ومُراجعة	١٣٣	المُستندات	١٢٩	ترويج المبيعات
١١٨	البرنامج	٧٠	المُحاسَبة المُتكاملة	١٢٨	تغطية المبيعات
٢٤	قائمة المُراجَعة	٢	مَدَّة المُحاسَبَة	١٢٨	التنبُّؤ بالمبيعات
	التَّدريب بدراسة	١٢٥	المُحاسَبة المسؤولة	١٢٨	دليل المبيعات
٧٢	المُراسَلات الواردة	١٣٢	مُحاكاة	١٢٩	سياسة المبيعات
٢٨	مُراقِب الحِسابات	٢٤	مَحلَّات السِّلسِلة		مُدير المبيعات في
١٠٨	مُراقَبة الأداء بالمُعايَنة	٥٩	شُهرة المَحَلّ	٥١	الأسواق
	الأساليب العامَّة لمُراقَبة	٨٤	مَحَلّ للطَّلب بالبريد	١٢٨	ميزانيَّة المبيعات
١٤٧	المَكاتب	٣١	المُحوَّلة	٣٩	مَتجر الأقسام
٥٥	مُراقَبة الاستثمارات	١٣٦	مَخزن (الحاسِبة الآليَّة)	١٣٧	مَتجر الخِدْمة الذاتيَّة
٣٠،	مُراقَبة الإنتاج	٨٤	المَخزن المغنطيسيّ	٩٧	المتجر المتعدِّد الفروع
١١٥		٣٠	جَرْد المخزونات المستمرّ	٩١	المتوسِّط
١٣٤	المُراقَبة بالدفعات القياسيَّة	١٩	المخزون الاحتياطيّ	١٢٦	حصيلة المُجازَفة
١٣٥	مراقبة البضائع	١٢٨	مخزون الأمان		مَجلس الإنتاج
	التَّخطيط والمُراقَبة	١٣٦	بَيان المخزون الموجُود	١٨	البريطاني
٧٠	المُتكاملان	١١٨	مُخطَّط بَيان التقدُّم		المجلس الوطنيّ
٧٢	مُراقَبة الجَرْد	٦٣	مُخطَّط توزيع التَّواتر		

« غانت »

غ

رَسم « غانت » البَيانيّ	٥٨
مُنحنى « غاوسيّ »	٥٨
الغَوْل	٤
النِّظام الغَوْليّ	٤
التَّغيُّب . الغِياب	١

ف

فَترة التَّقدير الزَّمَنيَّة	١٤٣
رَسم لبَيان عَمَل الفَرْد	٨٤
رَسم بَيانيّ للفَرْد – الآلة	٨٤
بطاقات الفَرْز	٧٧
تَكاليف الفُرَص	١٠٣
المَتْجَر المُتعدِّد الفُروع	٩٧
الفَريق العامِل	١٥٣
الفَعاليَّة	٤٦
تَقدير الفَعاليَّة بالمُعايَنة	١٢٣
رَسم بَيانيّ للفَعاليَّة	٢
الفَعاليَّة الماليَّة	٨٠
مُراقَبة الفَعاليَّة بالمُعايَنة	٣
نِسبة الفَعاليَّة	٢
فَقَد (يَفْقِد)	٣٧

ق

| قائمة المُراجَعة | ٢٤ |
| قاعدة الثَّمانين-عِشْرين | ٤٧ |

قانُون « باركنسون »	١٠٧
قانُون « باريتو »	١٠٦
قانُون النِّسَب المُتغيِّرة	٧٩
طَريقة القِراءَة السَّريعة	١٣٣
تحليل المُعْضِلات واتِّخاذ القَرارات	١١٣
تَخطيط القَرارات عن طَريق الشَّبَكات المُثْلى	٣٩
شَجَرة القَرارات	٣٨
نَظريَّة اتِّخاذ القَرارات	٣٨
إستِدانة لتَسديد القَرْض	٥٧
القِسْم	٤٣
رَسم بَياني قِطاعيّ	١٣٠
بَيْت القَطْع	٤٢
سِعْرُ القَطْع	١٢
القَوْس الغوطيّ	١٠٢
تَخطيط القُوى العامِلة	٨٨
قِياس العَمَل	١٥٢
قِياس وَقت الأساليب	٩٣
بطاقة قَيْد الوَقت	٢٥
القَيْد المُزدَوج	٤٣
قَيْد المَلفَّات	٥٢
القِيمة الأصليَّة	١٠٦
قِيمة التَّحويل	٣١
تَخفيض قِيمة الأصل	١٥٣
القِيمة الدَّفتَريَّة	١٦
قِيمة الرِّبح الصَّافي	٩٩
القيمة الصَّافية	١٠٠
ضَريبة القِيمة المُضَفاة	١٤٨
طَريقة القِيمة الحاليَّة	١١٢
القِيمة المُضَفاة	٣

تَحليل القيمة ، هَندَسة القِيمة	١٤٨
طَريقة القُيود الثَّلاثة في قَيْد واحد	١٤٢
قَيَّم (يُقيِّم)	٤٩

ك

كارتل . إتِّحاد المُنتِجين	٢٢، ٧٧
« كَبنر » . « تريجو »	٧٧
كَشْف الرَّواتِب	١٠٧
الكِفاية	٤٦
نِسبة الكِفاية	٤٦
المُستَوى / الكَمِّيَّة لإعادة الطَّلَب	١٢٤
المُعايَنة بالكُوتا	١٢١
كوديل	٢٦
إدراك « كوستك »	٧٧
كونسورتيوم	٢٩
أُسلُوب « كونيغ »	٧٧

ل

اللَّامَرْكَزيَّة	٣٨
لُعبة الإدارة	٨٦
لُعبة الأعمال	٢٠
لُغَة الآلة	٨٤
اللُّغَة المُشتَرَكة	٢٧
خُطَّة « لنكولن » التَّشجيعيَّة	٨١
لَوْح فانِلَّة	٥٣

لَوْح

طاقات ١٢ عيوب

ط

عِلْم دِراسة الطّاقات ٤٨
تَقدير طاقة المجموعات ٦٠
نِسبة استِعمال الطّاقة ٢١
طَريقة استِرجاع الرأسمال ١٠٧
الطّريقة البسيطة ١٣٢
طَريقة تَخصيص المَوارِد مَدْموجةً بالوَقْت ١٤٣
طَريقة التّخطيط والمُراقَبة المُتكامِلَيْن ٦٥
الطّريقة التّخطيطيّة للتّقدير والمُراجَعة ٥٩، ٦٠
طَريقة التّسديد ١٠٧
طَريقة التّقدير بالنُّقَط ١١١
طَريقة تَوقيت المجموعات ٦١
طَريقة القِيمة الحاليّة ١١٢
طَريقة القُيود الثّلاثة في قَيْد واحِد ١٤٢
طَريقة مَعرفة جَميع تَكاليف التّوزيع ١٤٤
رَسْم الطُّرُق ١٢٧
كميّة الطّلب الاقتصاديّة . كميّة الدفعـة الاقتصاديّة ٤٥
مَحلٌّ للطّلب بالبريد ٨٤

ع

الاقتصاد العامّ ٨٤
الحدّ العامِل ٩٩
الرأسمال العامِل ١٥٣
الرأسمال العامِل الصّافي ١٠٠
عامِل العَمَل ١٥٢
الفريق العامِل ١٥٣
عامِل الوَظيفة ٧٥
الأُصول العامِلة ١٥٣
الأَيـدي العامِلة المُباشِرة ٤٠
العِبْء ١٩
العَدَد المُتوسِّط ٩١
نِظام العَدِّ الثُّنائيّ ١٥
الوُصول العَشْوائيّ ١٢٢
طَريقة المُلاحَظة العَشْوائيّة ١٢٢
المُعايَنة العَشوائيّة ١٢٢
عَطاء ١٤١
عَقْد التأْسيس ٩٢
العَلاقات الإنسانيّة ٦٤
العَلاقات الصِّناعيّة ٦٨
العَلاقات العامّة ١١٩
العَلاقات الوَظيفيّة ٥٧
عَلامَة الإسناد ١٤
العَلامة المُميِّزة . الصِّنْف ١٦
الجمعيّة الوطنيّة لعِلْم النّفس الصِّناعيّ ٩٩
عِلْم النَّفْس الصناعيّ ٦٨
العُمّال المُستَعاضون ٧٨
إنتباه ، إهتمام ، رغبة ، عَمَل ٤
العَمَل ٢٠
بطاقة العَمَل ٧٤
تَبسِيط العَمَل ٧٥
تدرُّج العَمَل ٧٨
تَفضِيل العَمَل ٧٤
تَقسيم العَمَل ٤٣
حِمْل العَمَل ١٥٢
دِراسة العَمَل ١٥٣
دَوْرة العَمَل ١٥٢
عامِل العَمَل ١٥٢
عَلامة العَمَل ٧٨
قِياس العَمَل ١٥٢
مُراقَبة العَمَل ١٥٣
مُعْطَيات العَمَل الأَساسيّة ١٣
مَكتَبُ العَمَل الدُّوَليّ ٦٥
عَمَل اليوم المَقِيس ٩١
بَحْث العَمليّات ١٠٣
تَدقِيق العَمليّات ١٠٣
تَفصِيل العَمليّة ١٠٣
رَسْم بَياني للعَمليّة ١١٤
رَسْم بَيانيّ مُجْمَل للعَمليّة ١٠٥
العُنْصُر ٤٧
العُنْصُر المُتغيِّر ١٤٨
أُسلوب مُقارَنة العَوامِل ٥٠
وَضْعُ بَرامِج العَوامِل المُتغيِّرة ١٤٨
عَيِّنة طِباقيّة ١٣٦
إنعدام العُيُوب ١٥٤

ضمّ		١١			روح
الشَّريط المغنطيسيّ	٨٤	سلعة جانبيّة	٢٠	الرُّوح المَعنويّة	٩٥
شَريط وَرَقيّ	١٠٦	السِّلْعة المُجتذبة	٨٣	الروكوماتيّة . دراسة حَرَكة المَوادّ	١٢٦
شُغلٌ بالقطعة	١٠٩	نظام السُّلْفة المُستَديمة	٦٥	رياضيّات الاقتصاد	٤٥
قياس الشُّغْل	٤٨	السُّلَّم البريطاني للتَّقدير الأساسيّ	١٨		
شُهرَة المَحَلّ	٥٩	السَّنة الأساس	١٣	ز	
نظام «شيفر»	١٣٠	سَنَد	٣٧		
		إخْتِراق السُّوق	٨٩	زَلَاقات	١٣٣
		إمكانيّة السُّوق	٨٩		
		سياسة	١١١	س	
ص		سياسة المبيعات	١٢٩		
صاحب المشروع	٤٨	السُّيولة	٨٣	سجِلُّ الآلات	١١٠
الصَّفيف	٨	نِسْبة السُّيولة	٨٢	الإغواء بالسِّعْر	
التَّدريب في الصِّناعة	١٤٥			المُخَفِّض	٧٩
بطاقة الصندوق	١٥			السِّعْر الحافِز	١١٢
العَلامة المُميِّزة . الصِّنف	١٦	ش		رَفعِ السِّعر للمُحافظة على مَكانة المَتْجر	١٤٥
الصورة الذهنيّة عن الصِّنف	١٦	الشَّبكة الإداريّة	٨٧	سِعر القَطْع	١٢
مُدير الصِّنف	١٧	شَجَرة القرارات	٣٨	المُحافظة على سِعْر البَيْع	١٢٥
الصورة	٦٥	شراء الوَقت	١٤٢	علم السُّكّان	٣٨
الصِّيانة المخطَّطة	١١٠	المُقارَنة بين الشَّركات	٧٠	خطّة «سكانلون»	١٢٩
مَقاييس الصِّيانة العامّة	١٤٦	شَركة . هَيئة	٣٢	سِلسلة إختياريّة	١٥٠
الصِّيانة المنسَّقة الدَّوريّة للمناطق	٣١	الشَّركة	٢٧	سِلسلة «ماركوف»	٩٠
		شَركة تابعة	١٣٧	محلّات السِّلسلة	٢٤
الصِّيانة الوِقائيّة	١١٢	التَّخطيط في الشَّركة	٢٧,٣٢	سِلسلة الوَقت	١٤٣
		سِمَةُ الشَّركة	٦٣	تَسَلسُل السُّلطات	٢٤
ض		الشَّركة القابضة	٦٣	السُّلطة	١٠
		الشَّركة المُسَيطِرة	٣١	خطّ السُّلطة	٨١
		الشَّركة المُقفَلة	٢٦	سِلَع إنتاجيّة	٢٢
ضَريبة القيمة المُضْنَفاة	١٤٨	شَريط مُنَقَّب	١١٩	سِلعة إستهلاكيّة	٢٩
الضَّمّ	٢٧	الشَّريط المُخَرَّم	١٠٨	سِلعة إستهلاكيّة مَتينة	٢٩

رَسْم لِبَيان عَمَل الفَرْد	٨٤	طَريقة تَقْدير الرُّتَب	١٢٢	**ذ**	
رَصيد الاحتِياطيّ	١٢٥	رَسْم الأعْمال التَّخْطيطيّ	٥٤	الذَّاكِرة	٩٢
الرَّصيد الدّائِن	٣٧	رَسْم بَيانيّ	٢٤ ،		
إنتِباه ، إهتِمام ،			١٠٩	**ر**	
رَغْبة ، عَمَل	٤	رَسْم بَيانيّ للأجْزاء	١١٣	الرّاتِب	١٢٨
مَدَى الرَّقابة	١٣٤	رَسْم بَيانيّ لأعْمال		الرَّواتِب المُوَفَّرة	١٤٠
نِظام الرَّقابة على التَّنبُّؤات		مُتَعَدِّدة	٩٧	الرَّأسْمال	٢١
والبَضائِع المَوجودة	٥٥	رَسْم بَيانيّ بأعْمِدة	١٣	إحتِياطيّ الرَّأسْمال	٢٢
وَضْع الجَداوِل والرَّقابة		رَسْم بَيانيّ خَطِّيّ		طَريقة استِرْجاع	
بِواسِطة أجْهِزة شَبكيَّة		للمَسؤوليَّة	٨٢	الرَّأسْمال	١٠٧
أوتوماتيكيَّة	١٢٩	الرَّسْم البَيانيّ « Z »	١٥٤	الرَّأسْمال العامِل	١٥٣
الرَّقم الدَّليليّ	٦٦	رَسْم بَيانيّ شَريطيّ	١٢	الرَّأسْمال العامِل الصّافي	١٠٠
خُطَّة « ركر »	١٢٧	رَسْم بَيانيّ لحَرَكة		الرَّأسْمال المُتَداوَل	٢٥
رَمْز ٧ - ٤ - ٢ - ١	١٣١	العَمليّات	٥٤	الرَّأسْمال المُصَرَّح به	١٠
رَمْز بَعيد	١٤١	رَسْم بَيانيّ لسَيْر الأعْمال	٥٤ ،	الرَّأسْمال المُوَظَّف	٢١
رَمْز تَعليمات الحاسِبة			١٤٦	ميزانيَّة الرَّأسْمال	٢١
الآليَّة	٢٨	الرَّسْم البَيانيّ للتَّعادُل	١٧	الأصْل الرَّأسْماليّ	٢١
رُموز « جلبرت »	٥٩	رَسْم بَيانيّ للتَّنْظيم	١٠٤	المَصْروفات الرَّأسْماليَّة	٢١
رُموز الجَمْعيَّة الأمْريكيَّة		رَسْم بَيانيّ للحَجْم	١٤٩	راقَب (يُراقِب)	٣٠
للمُهَنْدِسين		رَسْم بَيانيّ للحَرَكة	١٤٥	الرِّبْح الإجْماليّ	٩٠
الميكانيكيّين	٨	رَسْم بَيانيّ للرِّبْح	١١٧	تَحْليل التَّكْلِفة والحَجْم	
الرُّموز الحَرْفيَّة العَدَديَّة	٥	رَسْم بَيانيّ للعَمليَّة	١١٤	والرِّبْح	٣٣
رُموز الرَّسْم البَيانيّ		رَسْم بَيانيّ للفَرْد - الآلة	٨٤	حَدّ الرِّبْح الإجْماليّ	٦٠
للعَمليَّة	١١٤	رَسْم بَيانيّ للفَعّاليَّة	٢	حَدّ الرِّبْح الصّافي	٩٩
وَضْع الرُّموز	٢٦	رَسْم بَيانيّ للمُراقَبة	٢١	رَسْم بَيانيّ للرِّبْح	١١٧
وَضْع الرُّموز		رَسْم بَيانيّ مُجْمَل		الرِّبْح الصّافي	٩٩
أوتوماتيكيّاً	١٠	للعَمليَّة	١٠٥	قيمة الرِّبْح الصّافي	٩٩
كَشْف الرَّواتِب	١٠٧	رَسْم التَّنْظيم	١٠٥	الرُّبْع الإحْصائيّ	١٢١
الرَّوتين . الرَّتابة	١٢٧	رَسْم خَيْطيّ	١٣٧	الرُّوتين . الرَّقابة	١٢٧
الرُّوتين التَّشْخيصيّ	٣٩	رَسْم الطُّرُق	١٢٧		
الرُّوتين الحُكْميّ	١٢٤	رَسْم « غانت » البَيانيّ	٥٨		

ديون		٩		حِساب	
دِراسة الأساليب	٩٣	خَدَمات الإدارة	٨٧	حِساب التَّكاليف	
دِراسة التَّفضيل	١١١	مَكتَب الخَدَمات	١٣١	التَّحميليّ	١
دِراسة الجَدوى	٥٠	بَيان الأرباح والخسائر	١١٧	حِساب تَكاليف العَمَل	٧٤
دِراسة الحَركة	٩٦	حِساب الأرباح		حِساب التَّكاليف	
دِراسة العَمَل	١٥٣	والخَسائر	١١٧	المُتأخِّر	٦٣
دِراسة نِسبة التأخير	١٢٣	خَطُّ التَّوازُن	٨١	حِساب التَّكاليف	
دِراسة الوَظيفة	٧٦	خَطُّ الحَركة	٥٤	المُنَسَّق	١٤٦
دِراسة الوَقت	١٤٣	خط السلطة	٨١	حِساب التَّوزيع	٧
دَفتر اليوميَّة	٧٦	الإنتاج الخَطِّي	٨٢	قُيِّدَ على الحِساب	٣٧
القيمة الدَّفتريَّة	١٦	رَسم بَيانيّ خَطِّي	٨٢	حِساب المُراقَبة	٣٠
الإنتاج بالدفعات	١٤	للمسؤوليَّة		حِسابات بدُون أرقام	٥٢
المراقبة بالدفعات		خُطَّة التَّسويق	٨٩	تَدقيق الحِسابات	٩
القياسيَّة	١٣٤	خُطَّة تَشجيعَة	٦٦	تَدقيق الحِسابات	
الدفعة	١٣	خُطَّة « روكر »	١٢٧	الدَّاخِليّ	٧١
تقدير تَكاليف الدفعة	١٤	خُطَّة « كيسر » للفُولاذ	٧٧	مُراقِب الحِسابات	٣١،٢٨
كَميَّة الطَّلَب الاقتصادية		خُطَّة « لنكولن »		النِّسَب الحِسابيَّة	٢
كَميَّة الدفعة الاقتصادية	٤٥	التَّشجيعيَّة	٨١	الوَسَط الحِسابيّ	٧
دَليل المبيعات	١٢٨	خُطَّة « هالسي »		التَّدريب على الحَساسية	١٣١
الدَّمج، الاندِماج	٥	التَّشجيعيَّة	٦٢	الحَسم	٤١
بطاقة الدَّوام	١٤٢	يَتحرَّى الخَلَل	١٤٥	حَسمٌ تِجاريّ	١٤٤
تَذكِرة الدَّوام	١٤٣	بطاقات الخَواصّ	٥١	الحَسم لتعجيل الدَّفع	٢٣
دَورَة البَضائع	١٣٦	خَواصّ الحَركة السَّهلة	٢٤	حَصيلة الحاسِبة الآليَّة	٢٨
سُرعَة دَورة البِضاعة	١٤٥	الخِيار	١٠٣	تَحريف الحَقائق الماليَّة	١٥١
دَورَة العَمَل	١٥٢			أسهُم رأس المال	.
إستِهلاك الدَّين	٥	د		حُقُوق المُساهِمين	٤٨
نِسبَة الدَّين	٣٧			حِملُ العَمَل	١٥٢
الدِّيناميكيَّة الجَماعيَّة	٦٠	دائِرة	٣٩	مَناطِق الحِياد	١٥٤
الدِّيناميكيَّة الصِّناعيَّة	٦٧	الدائن	٣٥		
بَيع الدُّيون	٥٠	إشعار دائن	٣٥	خ	
		الرَّصيد الدائن	٣٧	الخاصَّة	٩
		بَيان الدَّخْل	٦٦	خاصيَّة الوَظيفة	٧٤

جدول				حساب	
الجَدْوَل « أ »	١٤٠	الجيل الثاني	١٣٠	وضع جداول زمنيّة	
دراسة الجَدْوَى	٥٠			للأعمال الحَرِجَة	٣٥
الجَرْد . البَضائع		**ح**		تحليل الحَرَكات	
الموجودة	٧٢			الدَّقيقة	٩٤
الجَرْد المُجَزَّأ	١٣٤	حاسبة آليّة	٢٨	رَسْم بَيانيّ لِدَوْرة	
جَرْد المَخزونات المستمرّ	٣٠	الحاسبة الآليّة بالقياس	٦	الحَرَكات المُتَزامنة	١٣٣
مُراقَبة الجَرْد	٧٢	الحاسبة الآليّة العَدَدِيَّة	٤٠	اقتصاد الحَرَكة	٩٥
الجَرْد المُستمرّ	٣٠،	حصيلة الحاسبة الآليّة	٢٨	بَيان الحَرَكة	٧٧
	١٠٨	رَمْز تعليمات الحاسبة		تحليل وَقت الحَرَكة	٩٦،
جَرْد الموجودات	١٣٦	الآليّة	٢٨		٩٧
الجُعْل	٤٧	المُعْطَيات المُلَقَّنة للحاسبة		حِسّيِّ الحَرَكة	٧٧
مَشروع « جلاشر »	٥٩	الآليّة	٢٨	خَطُّ الحَرَكة	٥٤
رُمُوز « جلبرت »	٥٩	حاصل مَقاييس الإنتاجيّة	١١٦	خَواصّ الحَرَكة السَّهْلَة	٢٤
الجَمْع بين وَظيفَتَيْن	٩٥	السِّعْر الحافِز	١١٢	دراسة الحَرَكة	٩٦
الجمعية الأمريكيّة		دراسة الحالات الفَرديّة	٢٢	الروكروماتيّة . دراسة	
للإدارة	٥	بَحث حالة السُوق	٨٩	حَرَكة المَوادّ	١٢٦
الجمعية الأمريكيّة		تحليل التَكلفة والحَجْم		دراسة الوَقت والحَرَكة	١٤٢
للمهندسين الصناعيين	٤، ٥	والرِّبح	٣٣	رَسْم بَيانيّ للحَرَكة	١٤٥
الجمعية البريطانية		رَسْم بَيانيّ للحَجْم	١٤٩	رَسْم بَيانيّ لحَرَكة	
للإدارة	١٨	الحَدّ	٨٨	العَمليّات	٥٤
الجمعية البريطانية		حَدّ الرِّبح الإجماليّ	٦٠	مَبادئ اقتصاد الحَرَكة	١١٣
للتَعليم التجاريّ	١٨	حَدّ الرِّبح الصافي	٩٩	مَبادئ الحَرَكة السَّهْلَة	٤٥
الجمعية الوطنيّة لعِلم		الحَدّ العامل	٩٩	نِظام الوَقت المُقرّر	
النَفْس الصناعيّ	٩٩،	التَحليل الحَدّيّ	٨٨	للحَرَكة سَلَفاً	١١١
	١٠١	مُستَوى المخزونات		حَرَكة النَقْد	٢٣
بائعُ بالجُمْلة	١٥١	الحَدّيّ	٨٨	حَرَكة النَقْل المُعَدَّل	٤٢
مُحاسَبة الجنيه الكامل	١٥١	حِساب التَكاليف		وَقت الحَرَكة الأساسيّة	١٣، ١٦
« أدْمُوس » : الجهاز		الحَدّيّة	٨٨	وَقت الحَرَكة البَعْدِيّة	٤٠
الأوتوماتيكيّ لانتقاء		أسلوب الأعمال الحَرِجَة	٣٥	حِساب الأرباح	
الطَلَبات ميكانيكياً	٤	تحليل الأعمال الحَرِجَة	٣٥	والخَسائر	١١٧
تقدير الجُهْد	٤٦			تأدية الحِساب	١

تكاليف		٧		جداول	
حساب التكاليف الحدّيّة	٨٨	تكلفة المُدّة	١٠٨	تنويع المُنتجات	١١٥
حساب تكاليف العَمَل	٧٤	تكلفة اليَد العاملة	٧٨	تواتر التَّوزيع	٥٦
حساب التكاليف القياسيّة	١٣٥	التَّكلفة الثَّابتة	٥٣	خطّ التَّوازن	٨١، ٨٣
حساب التكاليف المباشرة	٤٠	تكنولوجيّة المجموعات	٦١	التوجيه	٤١
		النِّسَب التكنومتريّة	١٤١	توحيد المَقايِيس الصِّناعيّة	٦٨
حساب التكاليف المتأخّر	٦٣	التَّلقين ـ المعلومات الداخلة	٦٩	توحيد مَقاييس العَمَل	٧٦
حساب التكاليف المنسَّق	١٢٦	التَّمثيل بالقِياس	٦	التوزيع	٤٢
		التَّمويل الذَّاتي	١٠	تواتر التَّوزيع	٥٦
التَّكاليف السَّابقة	١١٣	الامداد والتَّموين في المؤسَّسة	٢٠	التَّوزيع الثُّنائي	١٥
التَّكاليف شِبهُ المُتغيّرة	١٣١	التَّنبّؤ	٥٥	حِساب التَّوزيع	٧
تكاليف الفُرص	١٠٣	التَّنبّؤ بالاتِّجاه	١٤٥	التَّوزيع الطَّبيعي	١٠١
فعالية التَّكاليف	٣٣	التَّنبّؤ بكمِّيَة النَّقد	٢٣	طريقة معرِفة جَميع تكاليف التَّوزيع	١٤٤
التَّكاليف المباشرة	٤٠	التَّنبّؤ بالمبيعات	١٢٨	التَّوفيق	٢٨
محاسَبة التَّكاليف	٣٢	التَّنسيق	٣٢	التَّوقيت الارتِدادي	٥٥
مَركز التَّكاليف	٣٣	التَّنظيم ـ المُنظَّمة	١٠٤	التَّوقيت السَّريع	١٣٣
مَقاييس التَّكاليف	٣٣	التَّنظيم والأساليب	١٠٢، ١٠٤	طريقة توقيت المَجموعات	٦١
نِظام تقدير التَّكاليف ووضْع الجداول	٨٠	تخطيط التَّنظيم	١٠٥		
التَّكامل الأفقيّ	٦٣	رسم التَّنظيم	١٠٥	**ث**	
التَّكامل العمودي	١٤٩	رسْم بياني للتَّنظيم	١٠٤	التَّوزيع الثُّنائي	١٥
التَّكلفة	٣٢	التَّنظيم غير الرَّسميّ	٦٨	نِظام العَدِّ الثُّنائي	١٥
التَّكلفة الأساسيّة	١١٣	مجلس التَّدريب على التَّنظيم والأساليب	١٠٢		
التَّكلفة الأولى	٥٢	التَّنظيم المنطقي	١٢٣	**ج**	
تحليل التَّكلفة والحَجْم والرِّبح	٣٣	أعمال تَحْتَ التَّنفيذ	١٥٢	تقدير الجَدارة	٩٢
تكلفة التَّحويل	٣١	التَّنفيذيُّون والاستشاريُّون	٨١	إجراء تحليل أعمال الوَرَش ووضْع جَداول لها	١٥١
تكليف عام	٥٣	التَّنويع	٤٢		
التَّكلفة غير المباشرة	٦٦	الإقلال من تَنويع الأصناف	١٤٩	وضْع الجَداول	١٣٠

١١٨	إجراء تقدير البرامج	٦٧	بضائع التَّصنيع	١٤٣	تذكرة الدَّوام
١٠٨	تقدير الأداء	٧٤	تصنيف الوظائف	١٢٤	تحليل التَّراجع
٤٩	التَّقدير الأمثل	٩٢	التَّصوير البطيء	٩٨	تحليل التَّراجع المتعدِّد
٦	التَّقدير التَّحليليّ	١٢٥	النَّسخ بالتَّصوير	١٤١	« تربلق »
٣٣	التَّثمين . تقدير التَّكاليف	٨٦	تطوير الإدارة		الطريقة الألفبائية
١٤	تقدير تكاليف الدَّمغة	١٧	أداء التَّعادل		طريقة التَّرتيب
٩٢	تقدير الجدارة	١٧	تحليل التَّعادل	١	القيميّ
٤٦	تقدير الجهد	١٧	الرَّسم البياني للتَّعادل	٥٥	ترجمة المعادلات
	السُّلَّم البريطاني للتَّقدير	١٧	نقطة التَّعادل	١٥١	التَّرجيح
١٨	الأساسيّ	١٣٨	التَّعاون الذِّهني	١٣٨	التَّركيبيَّة
١٢٢	طريقة تقدير الرُّتب	٥٨	التَّعديل	١٢٩	ترويج المبيعات
١١١	طريقة التَّقدير بالنُّقط	٧٩	منحنيات التَّعلُّم	٧٧	« كبنر » . « تريجو »
	طريقة تقدير ومراجعة	١٤٠	آلة تعليم	١٠٧	طريقة التَّسديد
١١٨	البرامج		الجمعية البريطانية للتَّعليم	٢٤	تسلسل السُّلطات
١٤٣	فترة التَّقدير الزَّمنيَّة	١٨	التِّجاريّ والصِّناعيّ		الإنتاج بالتَّسلسل
١٢٣	تقدير الفعالية بالمعاينة	١١٨	التَّعليم المبرمج	٢٩	المستمرّ
١٠٩	تقدير الموظفين	٥١	التَّغذية المرتدَّة	٣٨	إشعار تسليم
١٢٣	ميزان التَّقدير	٣٤	التَّغطية	٤٩	التَّسوية الأسِّيَّة
١٢٧	التَّقريب	٣٤	تحليل التَّغطية	٨٩	التَّسويق
٦	التَّقرير السَّنويّ	١٢٨	تغطية المبيعات	٩٠	بحث التَّسويق
٤٣	تقسيم العمل	١	التَّغيُّب . الغياب	١٣٨	التَّسويق التَّكافليّ
١٢١	موقف التَّقصي	٣٣	تفاوت التَّكاليف	٨٩	خطَّة التَّسويق
٧	التَّقييم	١٢٩	رسم التَّفرُّق	٦١	التَّشجيعات الجماعيَّة
١٠٨	تقييم الأداء	١٠٣	تفصيل العمليَّة	٣٩	الرُّوتين التَّشخيصيّ
٨٥	تقييم الإدارة	١٤٠	تفصيل المهمَّات	١١	التَّشغيل الأوتوماتيكيّ
٤٤	التَّقييم الدينميكيّ	١١١	دراسة التَّفضيل	١٠٣	بحث التَّشغيل
٣	تكاليف الإدارة	٣٤	التَّفكير الخلاَّق	١٠٤	
١٠٢	التَّكاليف الإضافيَّة	٣٨	التَّفويض	١٠٦	التَّشغيل المتوازي
٣٣	تحليل منفعة التَّكاليف	١١٩	متتبع التَّقدُّم	٨٧،٩٥	نظام التَّشغيل الإداريّ
٣٣	تفاوت التَّكاليف	١١٨	مخطَّط بيان التَّقدُّم	٩٢	تصريف البضاعة
١٠٥	التَّكاليف الثَّابتة	١٢٣	التَّقدير	٨٣	التَّصفية

بَيْع		٥		تدقيق	
بَيْعُ الدُّيون	٥٠	تحليل الإدارة	٨٥	التَّخطيط	١١٠
البَيْعُ السَّهْل	١٣٤	تحليل الأساليب	١٣٩	التَّخطيط الإستراتيجيّ	١٣٦
البَيْعُ الصَّعْب	٦٢	تحليل الأعمال الحَرِجَة	٣٥،٣٤	تخطيطُ الإنتاج	١١٦
البَيْعُ المُباشِر	٤١	تحليل الأفلام	٥٢	تخطيطُ التَّنظيم	١٠٥
البَيْعُ المتجوِّل	١٣٨	تحليل التَّبايُن	١٤٩	دراسة تَخطيط المَعْمَل	١١٠
نقطة البَيْع	١١١	تحليل التَّراجُع	١٢٤	تخطيط طويل المَدَى	
		التَّحليل الحدّيّ	٨٨	أو الأَجَل	٨٣
ت		التَّحليل التَّشكُّليّ	٩٥	التَّخطيط الشَّبَكيّ	١٠٠
تأجير المُعَدَّات	٤٨	تحليل التَّعادل	١٧	التَّخطيط في الشَّركة	٢٧
دراسة نِسبة التَّأخير	١٢٣	تحليل التَّغطية	٣٤	تخطيط قصير المَدَى	١٣٢
تأدية الحساب	١	تحليل التَّكْلِفة والحَجْم		تخطيط القُوى العامِلة	٨٨
عَقْدُ التأسيس	٩٢	والرِّبح	٣٣	تخطيط المبيعات	١٢٩
نِظام « تايلر »	١٤٠	تحليل الحركات		التَّخطيط والمُراقَبة	
التَّبايُن	١٤٨	الدَّقيقة	٩٤	المُتكامِلان	٧٠
تحليل التَّبايُن	١٤٩	التَّحليل الشَّبَكيّ	١٠٠	تخطيط المُنتَجات	١١٥
تَبسيط	١٣٢	تحليل المصرُوفات		تخفيض السِّعْر لزيادة	
تَبسيط العَمَل	٧٥	الرأسماليَّة بطَريقة		المبيعات	١٤٤
التَّثمين . تقدير التَّكاليف	٣٣	« أبي – أي »	٨٨	تَدرُّج العَمَل	٧٨
التَّثمين المتغيّر	١٤٨	تحليل المُعضِلات واتِّخاذ		تَدرُّج الوظائف	٧٥
تثمين المُنتَجات	١١٥	القرارات	١١٣	حساب التَّكاليف	
إعتماد التُّجّار	١٤٤	تحليل مَنْفَعَة التَّكاليف	٣٣	التَّحميليّ	١
نِظام التَّجميع	٩	تحليل نِسبة البِناء		التَّدريب بـدراسـة	
تجهيز المُعطيات الفَوريّ	١٠٢	الهَرَميّ	١١٩	المُراسَلات الوارِدة	٧٢
تحرّى (يتحرّى) الخَلَل	١٤٥	التحليل الوظيفيّ	٥٧	التَّدريب الجَماعيّ	٦١
تحريف الحقائق الماليّة	١٥١	تحليل وَقْت الحَركة	٩٦	التَّدريب على الحاسِبَة	١٣١
وَقْت التَّحضير	١٣١	تَكْلِفة التَّحويل	٣١	التَّدريب في الصِناعة	١٤٥
التَّحكيم	٧	قِيمة التَّحويل	٣١	التَّدريب المِهنيّ	١٤٩
علم التحكُّم الأوتومانيّ	٣٦	وَضعُ الجَداوِل لتخصيص		تدقيق الإدارة	٨٦
إجراء تحليل أعمال		الموارد والمشاريع		تدقيق الحسابات	٩
الوَرَش ووَضع جَداول		المتعدِّدة	١٢٢	تدقيق الحسابات الداخليّ	٧١
لها	١٥٣		١٢٥	تدقيق العَمليّات	١٠٣

بيع			٤		إنتاجية
مُراقَبة البَضائع	١٣٥	بَحْث أساليب الاستشارة	٩٦	مَجلِس الإنتاجيّة	
البَضائع المَوجُودة	٧٢	بَحْث التَّسويق	٩٠	البريطاني	١٨
تَصريف البَضاعة	٩٢	بَحْث التَّشغيل	١٠٣	ناتِج مقاييس الإنتاجيّة	١٠٧
البَضاعة الدّاخلة أوّلاً		بَحْث حالَة السُّوق	٨٩	إنتاجيّة اليَد العامِلة	٧٨
تُصرَّف أوّلاً	٥٢	بَحْث العَمليّات	١٠٣	إنتباه، إهتِمام، رَغْبة،	
سُرعة دَورة البَضاعة	١٤٥	برنامَج	١١٨	عَمل	٤
بطاقات الخَواص	٥١	إجْراء تَقدير البَرنامَج	١١٨	وَقتُ الانتِظار	٨٣
بطاقات الفَرْز	٧٧	الطّريقة الأُوتوماتيكيّة		أدْمُوس : الجِهاز	
بطاقات الوَصْوَصَة	١٠٧	لتَقدير البَرامج		الأُوتوماتيكيّ لانتِقاء	
بطاقة الدَّوام	١٤٢	ومُراجعتها أوتو برت	١١	الطَّلبات ميكانيكياً	٤
بطاقة الصُّندُوق	١٥	طريقة تقدير ومُراجعة		الانحِراف القياسيّ	١٣٥
بِطاقَة قَيْد الوَقت	٢٥	البَرامج	١١٨	الاندِماج	٥
بطاقة مُثقَّبة	١١٩	وَضع البَرامج	١١٨	الأنظمة والإجْراءات	١٣٩
البِطاقة المُثقَّبة البَصريَّة	١٤٩	وَضع البَرامج البارامتري	١٠٦	إختصار الأنظمة	١٣٩
بُطلان الاستِعمال	١٠٢	وَضع البَرامج بالطُّرق		إنعدام العُيوب	١٥٤
تحليل نِسبة البِناء الهَرميّ	١١٩	الرّياضيّة	٩١	إنتباه. إهتِمام، رَغْبة،	
بَيانات الأعمال الكِتابيّة		وَضع البَرامج الخَطيّ	٨٢	عَمل	٤
الرّئيسيّة	٩٠	وَضع البَرامج ديناميكياً	٤٤	التَّشغيل الأُوتوماتيكيّ	١١
البَيانات القياسيّة الرّئيسيّة	٩٠	وَضع البَرامج علميّاً	١٣٠	الطَّريقة الأُوتوماتيكيّة	
بَيان الحَركة	٧٧	نظام « برشك »	١٨	لتَقدير البَرامج	
بَيان الدَّخل	٦٦	بَرمَجة أُوتوماتيّة	١٠	ومُراجعتها (أوتو برت)	١١
صَحيفة البَيان	٤٣	عَمليّة « برونويللي »	١٤	الأيدي العامِلة غَير	
بَيان المَخزون المَوجُود	١٣٦	البَريد المُباشِر	٤١	المُباشِرة	٦٦
مُخطَّط بَيان التَّقدم	١١٨	مَحلّ للطَّلَب بالبَريد	٨٤	مَصرُوفات إراديّة	١٢٦
رَسم بَياني قِطاعيّ	١٣٠	نظام « بريستمن »	١١٢		
رَسم بَياني لـَـدَورة		بَضائع	١٣٥	ب	
الحَرَكات المُتَزامِنة	١٣٣	بَضائع التَّصنيع	٦٧		
بَيْت الامتِيازات	٥٦	بَضائع حُرَّة	٥٦	بائع بالجُملة	١٥١
نظام « بيدو » (بالنُّقَط)	١٤	البَضائع الدّاخلة أخيراً		قانون « باركنسون »	١٠٧
« بيرولاندشافت »	١٩	تُصرَف أوّلاً	٧٨	قانونُ « باريتو »	١٠٦
إقتِراح فَريد للبَيع	١٤٦	دَورة البَضائع	١٣٦	نظريّة « بايز »	١٤

الاقتصاص	١	مُحاسَبة استهلاك	٣٩	الاستهلاك	
الإقلالُ من تنويعِ الأصناف	١٤٩	الأصول المُتعدِّدة	٩٧	احتياطيُّ الاستهلاك	١٣٣
سِجلُّ الآلات	١١٠	الاطلاع	٦٧	أسلوبُ الاستهلاكِ بالمَجْمُوعة	٦٠
أُجرةُ الآلةِ في السّاعة	٨٤	اعتماد الإعلانات	٤	اسْتهلاكُ الدَّين	٥
آلة تعليم	١٤٠	اعتماد التُّجَّار	٤٤	النِّسْبةُ الثَّابتةُ للاستهلاك	١٣٦
لُغةُ الآلة	٨٤	تقدير الاعتماد . المَلاءة	٣٥	الاستيلاء	١٤٠
الالتزامات	٨٠	وضعُ البَرامجِ بأعدادٍ صحيحة	٧٠	الأسلوب	٩٣
التزامات احتماليَّة	٢٩	الإعلان اللَّاشعُوريّ	١٣٧	أسلوبُ الأعمالِ الحَرِجَة	٣٥
الالتزامات الحاليَّة	٣٦	بَيانات الأعمال الكِتابيَّة الرَّئيسيَّة	٩٠	أسلوبُ أقلِّ المُرَبَّعات	٨٠
نظريَّة الألعاب	٥٨			أسلوبُ مُقارَنةِ العَمَل	٥٠
الطَّريقة الألفبائيَّة . طريقة التَّرْتيبُ القِيَميّ	١	أعمالٌ تَحْتَ التَّنفيذ	١٥٢	أسلوبُ « مونت كارلو »	٩٥
		رَسْم بَيانيّ لسَيْر الأعمال	٥٤	علامة الإسناد	١٤
امتياز	٥٦	رَسْم بَيانيّ لسَيْرِ أعمالِ اليَدَيْن	١٤٦	الإسهام	٣٠
بَيْتُ الامتيازات	٥٦			أسهمُ رأسِ المال . حقوق المُساهمين	٤٨
الأمرُ التَّوجيهيّ	٤١	رَسْم بَيانيّ لأعمال مُتعدِّدة	٩٧	استأجِرْ أو اشْتَرِ	٧٩
إمكانيَّة السُّوق	٨٩	رَسْم الأعمال التَّخطيطيّ	٥٤	إشعار تسليم	٣٨
الإنتاج	١١٥	لعبةُ الأعمال	٢٠	إشعار مَدين	٣٧
إدارة الإنتاج	١١٦	رَسْم بَيانيّ بأعمدة	١٣	الأصْل	٩
الإنتاج الانسيابيّ	٥٤	الإغراق	٤٤	تخفيض قيمة الأصل	١٥٣
الإنتاج بالتَّسَلسُل المُستمِرّ	٢٩	الإغواء بالسِّعْر المُخفَّض	٧٩	الأصل الحاليّ	٣٦
الإنتاج بالجُملة	٩٠	مَشْروع الاقتراحات	١٣٧	الأصل الرَّأسماليّ	٢١
الإنتاج بالدَّفعات	١٤	اقتراحٌ فَريدٌ للبيع	١٢٦	الأصل الماديّ	١٤٠
تَخطيط الإنتاج	١١٦	اقتطاع	٢٤	الأصل المُتَداوَل	٥٣،٥٢
الإنتاج الخَطِّيّ	٨٢	اقتصاد الحَرَكة	٩٥	الأصل المُتَناقِص	١٥١
عوامِل الإنتاج	٥٠	الاقتصاد الخاص	٩٣	الأصول الثَّابتة	٥٣
مُراقَبةُ الإنتاج	٣٠،	رياضيّات الاقتصاد	٤٥	الأصول الحاضِرة	٨٢
	١١٥	الاقتصاد العامّ	٨٤	الأصول الصَّافية الحاليَّة	٩٩
الإنتاج المِعياريّ	٩٤	مَبادِئ اقتصاد الحَرَكة	١١٣	الأصول العامِلة	١٥٣
الإنتاجيَّة	١١٦	حَجْم المَجْمُوعة		الأصول غيرُ المَنْظُورة	٦٩
حاصل مقاييس الإنتاجيَّة	١١٦	الاقتصاديَّة	٤٥		

مَركَز الأرباح	۱۱۷	الإدارة	۸٥		۱
المُشاركة في الأرباح	۱۱۷	الإدارة الأُمّ	۹۱	«ا . ب . ت »	۷
السَّنة الأساس	۱۳	إدارة الانتاج	۱۱٦	تحليل المصروفات الرأسمالية	
وَقتُ الحَركة الأساسيَّة	٦۰	الإدارة بالاستثناء	۸٦	بطريقة «أبي – اي»	۸۸
بَحْث أساليب الاستشارة	۹٦	الإدارة بالأهداف	۸٦	التنبُّؤ بالاتِّجاه	۱٤٥
تحليل الأساليب	۱۳۹	تحليل الإدارة	۸٥	اتّحاد صناعيّ	٦۸
التَّنظيم والأساليب	۱۰۲ ،	تدقيق الإدارة	۸٦	اتّحاد المنتجين	۲۲
	۱۰٤	تطوير الإدارة	۸٦	الاتّصال	۲۷
دراسة الأساليب	۹۳	تقييم الإدارة	۸٥	نظريَّة الاتّصال	۲۷
الأساليب العامَّة لمُراقَبة		تكاليف الإدارة	۳	اتّفاقيّ	۱۳٥
المكاتب	۱٤۷	الإدارة التنفيذيَّة	۳ ، ۸۱	إجراء	۱۱۳
قياس وَقت الأساليب	۹۷،۹۳	الجمعية الأمريكيَّة		الأنظمة والإجراءات	۱۳۹
الأساليب المقيدة	۱۲٥	للإدارة	٥	رَسْم بَيانيّ للإجراء	۱۱۳
هَندسة الأساليب	۹۳	الجمعية البريطانية		أجرة الوقت	۱٤۳
الاستئجار	۷۹	للإدارة	۱۸	تخطيط طويل المَدَى أو	
إستَأجِرْ أو اشْتَرِ	۷۹	خَدَمات الإدارة	۸۷	الأجَل	۸۳
الاستثمار	۷۲	الإدارة العلميَّة	۱۳۰	الرِّبح الإجمالي	۹۰
إستثمارات تجاريَّة	۱٤٤	لُعبة الإدارة	۸٦	مجموع الأجهزة	۱٤٤
مُدَّة الاستثمار المتوسِّط		مؤسَّسة إدارة المكاتب	٦۹	احتكار	۹٥
المُتكافىء	٤۷،٤۸	مؤسَّسة إدارة المُوظَّفين	٦۹	الاحتمال	۱۱۳
طريقة الاستجابة	۱۲٤	إدارة المَبيعات	۱۲۸	رصيد الاحتياطيّ	۱۲٥
الاستحثاث	۱٦	إدارة المَشاريع المُتكاملة	۷۰، ۷۳	الرِّبح الإحصائيّ	۱۲۱
إستدانة لتسديد القَرْض	٥۷	إدارة المُوظَّفين	۱۰۹	الأحوال الشخصيّة	۱٤۹
الإستراتيجيَّة التنافسيَّة	۲۸	نسَب الإدارة	۸۷	نسبة الاختيار الحاسم	۲
التَّنفيذيُّون والاستشاريون	۸۱	الإدارة الوُسْطَى	۹٤	اختراق السُّوق	۸۹
إستعادة النَّفقات	۱۲٤	كبير الإداريّين التنفيذيين	۲٥	أداء التَّعادل	۱۷
بُطلان الاستعمال	۱۰۲	إدراك « كوستك »	۷۷	تقدير الأداء	۱۰۸
نسبة استعمال الطَّاقة	۲۱	الإدغام	۹۲	تقييم الأداء	۱۰۸
إستقاء المَعلومات	٦۹	بَيان الأرباح والخَسائر	۱۱۷	الأداء القياسيّ	۱۳٥
الاستقرار الدَّاخليّ	٦۳	حِساب الأرباح والخَسائر	۱۱۷	مُراقبة الأداء بالمُعايَنة	۱۰۸
مُراقبة الاستمارات	٥٥	أرباح زائدة	۱۳۷	أدار (يُدير)	۸٥

مسرد الألفاظ العربية الأساسية

الألفاظُ في هذا المَسردِ مُرتّبةٌ ترتيباً ألفبائيّاً وفقاً لحرُوفِها الأُولى (أيْ دونَ اعتبارِ الأصلِ المجرّد الذي اشتُقّت منه) مع ملاحظةِ إسقاطِ ألْ التعريف حيثُما تَرِدُ. وقد أبرَزنا الكلمة الرئيسية المتخذة أساساً للتصنيف **بالحرف الأسود** كما هي واردةٌ في المعجم ليسهُل على الباحث ايجاد المرادف الانكليزي للّفظة العربيّة التي يطلُبها.

$25.